CAR

Lauréate du Prix e-crire aufeminin, Carène Ponte est aussi l'auteur du blog Des mots et moi. Après *Un merci de trop* (2016), elle publie *Tu as promis que tu vivrais pour moi* (2017), *Avec des Si et des Peut-être* (2018), *D'ici là, porte-toi bien* (2019), *Et ton cœur qui bat...* ainsi que *Vous faites quoi pour Noël ?* (2019) et *Vous faites quoi pour Noël ? « On se marie ! »* (2020), tous chez Michel Lafon. *La lumière était si parfaite* et *Vous reprendrez bien un peu de magie pour Noël ?* paraissent en 2021 chez Fleuve Éditions. L'ensemble des ouvrages de Carène Ponte est repris chez Pocket.

AVEC DES SI
ET DES PEUT-ÊTRE

ÉGALEMENT CHEZ POCKET

UN MERCI DE TROP
TU AS PROMIS QUE TU VIVRAIS POUR MOI
AVEC DES SI ET DES PEUT-ÊTRE
D'ICI LÀ, PORTE-TOI BIEN
VOUS FAITES QUOI POUR NOËL ?
ET TON CŒUR QUI BAT…
VOUS FAITES QUOI POUR NOËL ?
« ON SE MARIE ! »

CARÈNE PONTE

AVEC DES SI ET DES PEUT-ÊTRE

Pocket, une marque d'Univers Poche,
est un éditeur qui s'engage pour la préservation
de l'environnement et qui utilise du papier fabriqué
à partir de bois provenant de forêts gérées
de manière responsable.

ISBN : 978-2-266-29034-0
Dépôt légal : mai 2019

À Bella Julia,
Si tu n'es pas née le jour de la distribution
de l'équilibre, tu n'as pas loupé celui
de la distribution de l'enthousiasme
et de la gentillesse.
Merci pour ta relecture attentive
(ah bon, il n'y a pas de vampires
dans The Walking Dead, *t'es sûre ?),*
pour ton amour de la lecture
et de mes personnages.
Merci d'être celle que tu es.
Surtout ne change pas.
Enfin...
évite quand même de mettre le feu
à ton appartement.

PROLOGUE

Est-ce que vous vous êtes déjà demandé ce que serait votre vie si vous aviez fait d'autres choix ? Si vous aviez été amie avec Kimberley, la fille populaire, aux cheveux longs, soyeux et aux jambes interminables plutôt qu'avec Juliette, la fille intelligente et… seulement intelligente ? Si vous aviez choisi italien deuxième langue plutôt qu'allemand ?

Si vous n'étiez pas allée à cette stupide soirée au cours de laquelle vous vous êtes lamentablement étalée sur le tapis, révélant à tout le lycée, autant dire à la terre entière, votre addiction aux culottes Bob l'éponge ?

En ce qui me concerne, je fais ça tout le temps. Au grand désespoir de Samya et Audrey, mes deux meilleures amies. « Avec des si et des peut-être, les chiens porteraient des baskets », m'a sorti Samya l'autre jour. Alors, petit 1, je n'y peux rien si j'ai cette manie de me projeter dans des vies parallèles, c'est plus fort que moi. Et petit 2, je ne vois pas du tout mais alors vraiment pas du tout le rapport avec les chiens.

Ce n'est pas que je n'aime pas ma vie, non : je l'apprécie, ou en tout cas elle ne me déplaît pas.

C'est juste que je me demande toujours ce qu'elle pourrait être si je faisais les choses différemment.

Tenez, hier, je suis allée à la boulangerie. Il y avait devant moi cette femme qui a passé près de vingt minutes à hésiter entre une religieuse au chocolat et une part de clafoutis à la cerise. Quelle idée d'hésiter ! La religieuse au chocolat, bien sûr !

Pendant cette interminable et inutile tergiversation de la cliente – « Est-ce que j'ai assez faim pour une religieuse ? » (oui, on a toujours assez faim pour une religieuse), « Est-ce que les cerises ne seraient pas meilleures pour mon régime ? » (les cerises oui, le clafoutis moins) –, je n'ai pas pu m'empêcher de me demander ce qu'il se serait passé si je n'avais pas décidé de profiter de ces deux heures de liberté avant ma première classe du jour pour aller faire quelques courses.

Et si à la place j'étais allée courir ?

Peut-être que j'aurais rencontré quelqu'un. Chaussée de mes baskets fluo moches mais à la mode, j'aurais démarré en petites foulées, vous savez, celles qui permettent de dire que l'on ne marche pas, alors que c'est tout comme, puis au bout de cinq cents mètres je me serais tordu la cheville. Les chutes et moi, c'est une histoire d'amour qui dure depuis des années. Je suis sûrement née le lendemain de la distribution de l'équilibre.

Et là, un homme se serait arrêté à ma hauteur. Il aurait été médecin ou kinésithérapeute. Incroyablement beau, il m'aurait manipulé la cheville pour vérifier l'absence de fracture. Tout en douceur et sensualité. Nos regards se seraient croisés et ç'aurait été comme une évidence.

Mais non.

À la place, j'étais coincée derrière Madame-j'hésite-entre-religieuse-et-clafoutis avec la furieuse envie de lui ganacher le sac à main ou de lui meringuer le portrait.

On devrait pouvoir visualiser le tournant que prendrait notre vie si on faisait un changement, même un tout petit.

Si je ne m'étais pas aperçue que Claudia, ma colocataire, avait mis à la poubelle tout le contenu de notre réfrigérateur, à ses yeux pas assez écolo-végano-friendly, et que je ne m'étais pas précipitée pour aller le remplir de nouveau, est-ce que j'aurais rencontré mon séduisant médecin ?

Je dis séduisant, eh bien oui. Tant qu'à rêver d'une vie parallèle, autant qu'il soit séduisant, charismatique et riche plutôt que moche, pauvre et rabougri, vous en conviendrez.

Ou alors, est-ce que j'aurais tout simplement marché dans une crotte de chien, avec le pied gauche de ma basket fluo moche, et empesté pour le reste de la journée ?

Oui, moi, je dis que l'on devrait avoir le droit de savoir. Rien qu'une toute petite fois.

Septembre

Chapitre 1

Après avoir laissé une quinzaine de minutes à mes élèves de seconde pour étudier le texte de Flaubert tiré de *Madame Bovary*, et compté pas moins de quatre soupirs d'ennui et six bâillements, je leur pose la question qui, à n'en pas douter, va déclencher un enthousiasme collectif :

— À partir du texte que vous venez de lire, quelles visions du couple trouve-t-on chez les personnages ?

Silence absolu. Cinq élèves se penchent subitement vers leur sac, sait-on jamais, s'il s'y cache un début de réponse. C'est bien connu, il y a dans chaque cartable des minuscules Flaubert, Victor Hugo, Émile Zola, sans oublier Honoré de Balzac, prêts à venir en aide aux lycéens désespérés. Pas étonnant, avec tout ce petit monde, que les cartables soient aussi lourds…

Trois autres se mettent à tailler furieusement un crayon à papier à la mine déjà plus qu'aiguisée, et ceux qui n'ont pas été assez rapides font en sorte de ne surtout pas croiser mon regard.

Pour l'enthousiasme collectif, on repassera, monsieur Flaubert.

C'est ma sixième année d'enseignement au lycée privé Ulysse-Grant, ainsi baptisé en raison de la consonance américaine du nom de la ville où il se situe : Savannah. Savannah-sur-Seine en réalité, mais on ne va pas chipoter.

Malgré le temps qui passe, j'ai toujours l'espoir d'intéresser les élèves aux classiques de la littérature française. *Madame Bovary* quand même, un monument ! Un monument d'ennui, compléterait Samya, ma collègue et amie professeure de mathématiques. Et Pythagore alors, on le classe où, niveau envie de s'énucléer avec une cuillère à faire des billes de melon ?

J'ai toujours été attirée par les mots. Leur sens, leur musicalité. J'ai longtemps envisagé d'intégrer une école de journalisme, mais je m'étais fracturé la cheville le matin des épreuves d'admission. Vous me trouverez sans doute excessive ou superstitieuse, mais j'y avais vu un signe. Quatre ans plus tard, je devenais professeure de français.

— Alors ? Cette vision du couple, Jules ?

Je peux entendre d'ici les poumons des trente élèves face à moi expirer tout l'air qu'ils retenaient depuis quelques minutes.

— Euh… que les filles, c'est compliqué ? tente-t-il avec un air peu convaincu.

D'un regard accompagné du haussement de sourcils que je perfectionne chaque année, je calme les gloussements provoqués par sa réponse.

— C'est-à-dire ? Vous pouvez développer ? À partir du texte bien entendu, et non de votre dernier râteau sur Snapchat.

… Où l'art de ruiner en un bout de phrase mon haussement de sourcils autoritaire…

— Eh bien, la fille, là…

— Emma.

— Oui, Emma, poursuit Jules, elle est compliquée. Comme toutes les filles, d'ailleurs. Elle se prend un peu trop la tête. Alors que son mec, enfin son mari, lui, il est plus dans la vraie vie. Il pense à ce qu'il faut gagner comme argent pour faire vivre sa famille, les placements à faire. Elle, elle est dans son monde. Heureusement que nous, les hommes, on est là, quoi.

Éclats de rire masculins, protestations féminines.

— Ça m'étonne pas que t'aies pas de copine, Jules ! l'apostrophe Camille. Ta vision de la femme est toute pourrie. Atterris, on est en 2017. Les femmes se débrouillent très bien sans les hommes.

— Ah ouais ? rétorque-t-il. Bah, l'autre jour, quand ton scooter voulait pas démarrer, t'étais bien contente que j'y jette un coup d'œil.

— Comme il n'y avait pas de scooter du temps de Flaubert, inutile de poursuivre dans cette voie, je reprends pour couper court aux clichés sexistes. Jules, ce que vous voulez dire, c'est qu'il y a dans le texte deux visions du couple et de la vie qui s'affrontent. Celle d'Emma, romantique, un peu hors du temps, et celle de son mari, plus concrète.

— Exactement, les filles sont compliquées ! Nous, les hommes, il nous faut pas grand-chose, un bon repas, et on est heureux !

Pendant les quarante-cinq minutes qui suivent, je continue à les faire travailler sur le texte, à les faire réfléchir sur la construction narrative de Flaubert.

— Vous voyez, qu'il y en a des choses à dire sur ce bout de texte !

Mon sourire enthousiaste manifestement n'enthousiasme que moi.

— Madame ! m'interpelle Hélène au moment où retentit la sonnerie de fin du cours. Qui décide des textes qui sont au programme ? Est-ce que c'est vous ? Pardon, je sais que vous aimez Flaubert et tout ça, mais quand même ce n'est pas hypermoderne. Ça nous parlerait plus si on étudiait les textes de Stromae, ou d'un autre type du même genre, vous voyez ?

Un comble…

Bientôt ils vont nous demander de rebaptiser le lycée. Au diable le classique et sérieux Ulysse Grant, président des États-Unis de son vivant ; place à Hugh, l'acteur fétiche des comédies romantiques !

L'année va être longue.

Très longue.

CHAPITRE 2

Le lundi est ma journée la plus chargée, j'enchaîne quatre heures de cours et deux d'accompagnement personnalisé. Le soir, je n'ai qu'une envie : rentrer chez moi, me plonger dans un bon bain et regarder un film de vampires avec un saladier de pop-corn.

Je considère qu'il y a un moment pour chaque film. Pour apprécier chacun à sa juste valeur, il faut respecter certaines règles essentielles.

En décembre, par exemple, on regarde des comédies romantiques. Celles qui collent des papillons dans le ventre, qu'on a déjà vues trente fois mais qui continuent de remplir nos yeux d'étoiles et de gonfler nos petits cœurs d'amour et… de cafard, histoire d'être bien déprimé le 31 au soir. Rien de tel qu'un tas de comédies romantiques avalées sur plusieurs semaines pour rendre au nouvel an sa vraie vocation : boire pour oublier.

En été, je visionne *Orgueil et Préjugés* (attention, pas n'importe lequel, celui avec Colin Firth) ou *Les Quatre Filles du docteur March*. Et quand il fait vraiment chaud, *Une journée en enfer* avec Bruce Willis.

J'ai beau l'avoir vu des dizaines de fois, il me faut toujours un temps pour résoudre l'énigme des bidons d'eau.

Mais quand j'ai besoin de me détendre après un lundi comme celui-ci, ponctué de soupirs d'élèves désespérés par Gustave Flaubert, il me faut un bon épisode de *The Walking Dead*. Les zombies qui s'entre-tuent et se dévorent les uns les autres, ça m'apaise.

Lorsque j'ouvre la porte de mon appartement, l'esprit déjà en mode dépeçage et décapitage, je suis assaillie par une odeur pestilentielle. On dirait un mélange de bouse de vache fermentée et de crevettes oubliées trois jours sur un rebord de fenêtre en plein soleil.

— Mais qu'est-ce que c'est que cette horreur ?

— Ah, t'inquiète, c'est juste un essai d'un nouveau masque pour le visage.

L'odeur provient en effet du canapé où se tient celle qui a recouvert son visage d'une substance à l'apparence douteuse : Claudia, ma colocataire.

Comment la présenter pour être sûre de lui rendre justice ? C'est une femme engagée. Plus engagée qu'elle, tu meurs, je pourrais même dire. Écologiste. Végane. Adepte du tout naturel jusqu'à la pilosité. En un mot ? Dingo mais attachante. Voilà, ça la résume bien.

Claudia et moi partageons cet appartement depuis deux ans, lorsqu'il m'est apparu que vivre chez ma sœur n'était plus de mon âge mais que mon salaire seul ne me permettait pas d'emménager dans une cellule de plus de quinze mètres carrés.

C'est un endroit dans lequel je me suis tout de suite trouvée à l'aise. C'est étrange, d'ailleurs, cette impression de se sentir immédiatement chez soi quand on découvre un lieu pour la première fois. Une grande pièce à vivre, parquet grisé au sol, murs blancs, lumineuse grâce à ses deux doubles fenêtres. Dedans, un large canapé en velours de couleur bleu paon, chiné dans une brocante, quelques meubles de style industriel et des plantes vertes. L'espace cuisine, avec ses placards jaunes et sa faïence grise et noire, est séparé du reste par une petite verrière.

Deux chambres spacieuses et une salle de bains avec baignoire sur pieds.

Le désordre y règne un peu partout, et ce malgré mes protestations. Des chaussures, des vêtements, des magazines. Et, au gré des projets plus ou moins farfelus de Claudia, des bocaux, des bouteilles vides, des cartons…

Depuis quelque temps, elle s'est mis en tête de fabriquer des tas de crèmes et autres décoctions, avec plus ou moins de succès, pour remplacer les produits d'entretien ou de beauté.

— Si tu veux, Max, il m'en reste encore un peu dans la casserole que j'ai laissée dans la cuisine.

Mon prénom, c'est Maxine, mais la plupart de mes amis m'appellent Max. Ce diminutif n'étant pas des plus sexy, je ne sais pas trop comment je dois le prendre.

— Non merci, ça ira.

— Tu devrais essayer ! C'est à base de courgette et d'essence d'herbe fermentée. Ça désobstrue les pores.

— Une autre fois, peut-être.

Dommage que ça n'obstrue pas mes narines, en tout cas ! Je note mentalement de ne pas oublier de jeter la casserole, qui restera à n'en pas douter à jamais imprégnée de l'odeur.

Je me dirige – « je fuis » serait plus proche de la vérité – vers la salle de bains dans laquelle s'est également réfugiée Darcy, ma chienne, un cocker, âgée de deux ans.

Elle mâchouille avec méticulosité et une visible délectation une barrette de ma colocataire. Peut-être taillée dans de l'os bio…

Je manque d'éclater de rire quand soudain mon regard se pose sur la baignoire.

— Ah, tu feras attention, me crie Claudia depuis le canapé, j'ai mis du soja à tremper. Une fois qu'il sera gorgé d'eau, il suffira de le faire sécher et de le presser pour tisser des torchons 100 % naturels. Tu ne trouves pas ça génial ?

Génial ? Je ne sais pas si c'est le mot que j'aurais employé.

Pff serait sans doute plus adapté.

CHAPITRE 3

— Des torchons à base de soja ? Qu'est-ce que c'est que ce truc ? m'interroge Audrey.

— La dernière idée de Claudia. Je te jure, elle me fait peur, parfois. Un jour, je vais rentrer et elle aura rasé Darcy pour se fabriquer une écharpe 100 % naturelle en poils de chien.

Nous éclatons de rire. Comme chaque vendredi soir, avec Samya et Audrey, nous sommes réunies autour d'un verre au Blues Pub, l'un des deux seuls bars de Savannah-sur-Seine. L'autre ayant pour thème la moto et le tricot, mariage étonnant des passions du couple de propriétaires, le choix n'a pas été bien difficile.

Le patron du Blues Pub, lui, est un fan absolu de musique, de variété française notamment. Il a tapissé ses murs de photos et accroché à plusieurs endroits des guitares sèches de différentes couleurs et tailles. Le résultat, étrange et original, est plutôt réussi. L'atmosphère chaleureuse. Régulièrement, il organise des soirées karaoké, et nous ne sommes jamais les dernières à saisir le micro.

Nous travaillons toutes les trois au lycée Grant. Samya et moi y sommes arrivées la même année. Audrey, quant à elle, embauchée deux ans après nous, est conseillère d'orientation à mi-temps.

Avec Samya, nous sommes rapidement devenues les meilleures amies du monde ; et quand Audrey a débarqué, on a décidé d'élargir le cercle. Il faut dire que, lors de son premier jour, elle a cassé l'un de ses talons en marchant sur une grille d'aération près du hangar à vélos et elle a vaillamment claudiqué le reste de la journée comme si de rien n'était. Une fille comme ça ne pouvait que nous plaire.

De nous trois, Samya est la seule à ne pas être célibataire. Elle a épousé il y a deux ans le type le plus adorable de la terre et ils ont une petite fille de quatre ans, Inès. Si la gentillesse avait un prénom, ce serait sûrement Samya. Toujours encline à voir le bon côté chez l'autre, à rendre service. Des étoiles plein les yeux, romantique à souhait, amoureuse devant l'Éternel.

Pas grand-chose à voir avec Audrey qui, elle, a un caractère bien trempé et pas la langue dans sa culotte. Elle se revendique comme une femme libre et se refuse à vivre en couple. Les hommes, selon elle, ne peuvent s'empêcher de réduire les femmes à un rôle de maîtresse de maison dès qu'une vie de couple s'installe. « Mitonner de bons petits plats et ramasser des chaussettes sales, très peu pour moi ! », affirme-t-elle.

Je vais éviter de lui rapporter les propos de mes élèves sur le texte de Gustave Flaubert, où l'on va en prendre pour une heure de discours féministe engagé et rageur.

Quant à moi, je me lamente d'être seule. Au point où j'en suis, même les chaussettes sales me paraîtraient romantiques. C'est dire. Bien plus en tout cas que les torchons 100 % naturels au soja ou les masques au jus d'herbe pourrie.

— Eh, les filles, je vous rappelle que l'on n'est pas là pour parler de Claudia, mais du futur grand amour de Max ! recentre Samya.

— Grand amour, ne nous emballons pas, c'est un type avec qui je discute sur un site de rencontres. Je ne l'ai pas encore vu en vrai, alors mieux vaut garder les pieds sur terre.

— Comment il s'appelle, déjà ? m'interroge Audrey.

— Germain. Oui, je sais ce que vous allez me dire, c'est pas hyperglamour comme prénom. Mais d'après les échanges qu'on a pu avoir, il a l'air gentil. Et il est plutôt mignon.

— Et il fait quoi dans la vie, ce Germain ?

— Comptable.

Audrey et Samya se regardent avant de pouffer de rire.

— Je ne vois pas ce qui vous fait rire, c'est très bien, comptable. C'est très respectable.

— C'est surtout très chiant ! ponctue Audrey.

— Parce que tu crois que conseillère d'orientation c'est mieux ?! répliqué-je. Sérieusement, les filles, je crois que ça pourrait marcher avec lui. Il cherche une relation stable. Il devait épouser une fille, mais finalement, après lui avoir dit oui, cette sans-cœur s'est barrée à l'autre bout de la France[1].

1. Toute ressemblance avec une histoire précédente n'est pas fortuite.

— Le pauvre, s'émeut Samya, comme toujours.

— Je ne suis pas d'accord, dit Audrey, une fille qui accepte une demande en mariage et qui finalement se barre, c'est louche. Il doit y avoir baleine sous caillou. Tu le vois quand ? me demande-t-elle.

— Samedi prochain en principe. Il avait un séminaire de comptables ce week-end.

Audrey mime une corde qu'elle s'enroule autour du cou pour se pendre. Samya, qui buvait une gorgée de son daïquiri au même moment, manque de la recracher.

— Franchement, les filles, vous n'êtes pas sympas. Et si c'était l'homme de ma vie, ce type ? Et si cette rencontre allait me conduire sur la route d'une relation épanouissante et intense ? Et s'il était celui qui allait tout changer ?

— Et si c'était un égorgeur de chatons ? rigole Audrey.

— Ou un coupeur d'oreilles de chien ? enchaîne Samya.

— Ah non, on a dit pas les animaux ! je m'insurge, tout en me laissant gagner par le rire de mes deux amies.

— Et si c'était la réincarnation de Gustave Flaubert dans un corps de comptable ? poursuit Samya. Imagine un peu l'horreur ! L'ennui double dose.

— Je ne sais même pas pourquoi je parle de tout ça avec vous.

— Parce qu'on est géniales !

— Et que tu nous adores.

Le pire, dans tout ça, c'est qu'elles ont raison.

CHAPITRE 4

Franchement, je ne vois pas ce qu'elles reprochent au métier de comptable. Parce que si on va par là, conseillère d'orientation ou professeure, ce n'est pas beaucoup plus excitant. On est loin du reporter de guerre ou du récolteur de semence d'éléphant[1].

Alors que je suis en route pour un dîner chez ma sœur, je ne peux m'empêcher de sourire en repensant à la conversation d'hier. Au fur et à mesure des cocktails, mes deux meilleures amies avaient commencé à sacrément divaguer, faisant de Germain tour à tour un centenaire en déambulateur, un tueur de poussins ou un mangeur de rutabagas et adorateur de Thalès (une idée de Samya qui n'oublie jamais les vraies valeurs mathématiques).

Si mes amies sont sceptiques, je sais, à l'inverse, que je peux compter sur mon frère et ma sœur pour s'enthousiasmer et me pousser dans les bras d'un célibataire. Même le premier venu. Je suis la petite dernière de la famille et, pour une raison qui m'échappe,

1. Si, si, ça existe !

l'angoisse de mon célibat s'amplifie chez eux au fil des années. Ils doivent redouter que de l'écorce ne finisse par recouvrir ma peau ou que je ne me transforme en sorcière sur balai avec chapeau tordu.

Laetitia, l'aînée de notre famille, la quarantaine épanouie, mère de deux enfants, heureuse en ménage, et dentiste de son état, organise régulièrement des dîners au cours desquels elle convie des collègues, des amis de collègues, voire de quasi parfaits inconnus croisés au supermarché rayon mayonnaise, dans l'espoir de me caser.

Mon frère, Julien, quatre ans de plus que moi, n'est pas en reste. Et même si lui ne cherche pas à me caser à tout prix avec l'une de ses connaissances, il dissèque à grands coups d'analyses freudiennes tous mes échecs amoureux. Un frère psychologue, c'est vraiment la plaie, croyez-moi. Impossible de dissimuler quoi que ce soit.

Nous avons toujours été très proches tous les trois, très soudés. Au grand dam de notre mère qui ne parvenait jamais à savoir lequel d'entre nous méritait d'être grondé et puni, tant nous nous protégions les uns les autres.

Le décès de notre grand-mère, Moune, il y a bientôt trois ans, nous a rapprochés encore un peu plus.

Je l'adorais, et sa mort a été un véritable traumatisme.

Elle est décédée dans un accident de voiture.

Et c'est moi qui conduisais.

Nous étions en retard pour assister aux premiers pas sur scène d'Audrey dans le rôle de Stella Spotlight, et j'ai tenté de prendre un raccourci pour ne pas louper le début du spectacle.

C’est étrange. Alors que mes souvenirs d’elle deviennent de plus en plus flous, je me rappelle avec une netteté douloureuse le moindre détail de cette soirée-là.

Elle portait cette petite veste cintrée couleur corail que je venais de lui offrir pour son anniversaire sur un top crème et un jean bleu foncé.

Moune était très fière de sa ligne en dépit de son âge et cherchait à garder un look moderne. Elle arborait, pour compléter l’ensemble, des boucles d’oreilles à pendants turquoise. Nous bavardions à bâtons rompus. Elle me racontait avec l’humour qui la caractérisait l’après-midi qu’elle venait de passer dans son club du troisième âge.

— Tu leur as proposé de faire quoi ?! m’étais-je à moitié étouffée.

— Ah non, tu ne vas pas t’y mettre aussi ! Je ne vois vraiment pas pourquoi on ne pourrait pas se mettre à la pole dance passé soixante-quinze ans ! Il n’y a pas d’âge pour séduire, et certaines ont encore des maris à émoustiller. Elles ont aussi pour beaucoup des hanches en plastique, cela dit. Si tu avais vu leur tête ! Certaines ont failli en avaler leur chapelet.

J’avais éclaté de rire devant sa mine sincèrement choquée en constatant le manque d’ouverture d’esprit de ses amies presque octogénaires à la sensualité en dessous de zéro sur l’échelle de Richter.

C’était le début de l’hiver, et il avait neigé quelques jours plus tôt.

Et puis, dans un virage, notre voiture avait dérapé sur une plaque de verglas ; j’avais perdu le contrôle et, malgré mes réflexes, n’avais pu éviter l’accident.

Je garde sur le visage, sous l'oreille, une large cicatrice de trois centimètres de long pour me le rappeler. Et, sur le cœur, la mort de ma grand-mère.

Si nous avions pris un taxi, si j'avais choisi un autre itinéraire, peut-être que tout aurait été différent. Comme elle disait qu'être prise en photo la faisait mourir un peu, je n'ai hélas aucun portrait d'elle. C'est elle qui tenait l'appareil, toujours. Il ne me reste que mes souvenirs. Elle me manque tellement.

Perdre sa mère a été difficile pour la mienne et, pour une raison que je ne comprends pas vraiment, elle a eu besoin de vivre son deuil à distance. Loin, très loin de ceux qu'elle connaissait, y compris ses propres enfants. Avec mon père, ils sont partis s'installer au Canada. Comme ça, presque du jour au lendemain, après avoir vidé l'appartement de Moune. Papa était à la retraite depuis moins d'un an, et maman ne travaillait pas. En à peine quelques mois, ils ont tout vendu et tout quitté pour partir vivre à des milliers de kilomètres.

Depuis, Laetitia ne leur adresse plus la parole. Elle les trouve égoïstes et je sais, même si elle ne m'en dit rien, qu'elle souffre que ses enfants ne voient jamais leurs grands-parents.

Parfois, je me dis que c'est à cause de moi. Parce que c'est moi qui conduisais, maman craignait peut-être de me faire des reproches, de m'accabler un peu plus que ce que je m'infligeais déjà toute seule. Je ne sais pas trop, à vrai dire. Lors de nos trop rares échanges téléphoniques, nous n'évoquons pas le passé. Elle ne me parle pas de l'accident, je ne lui pose aucune question.

À la suite du décès de Moune, j'ai vécu quelque temps chez ma sœur et elle m'a été d'un grand secours.

Mon frère, lui aussi, m'a soutenue pendant des mois. Et même si j'ai fini par lui dire que je me sentais mieux, cette culpabilité reste ancrée au fond de moi. La blessure est refermée mais les sutures, je le sais, ne sont pas très solides.

À l'approche de la maison de Laetitia, je chasse de mon esprit les souvenirs douloureux de cette soirée et l'image de cette veste cintrée couleur corail, associée à jamais dans ma mémoire à celle de la tôle froissée.

Une sorte d'accord tacite existe entre nous trois, nous ne parlons plus de Moune. Ni de nos parents.

— Salut sœurette, m'accueille Laetitia. J'espère que tu as faim ! J'ai préparé mon fameux poulet au curry et, vu que Thomas vient de partir avec les enfants pour une séance de cinéma, il y en a pour un régiment.

Quarantaine épanouie, heureuse en ménage, et bonne cuisinière. On est d'accord qu'il devrait y avoir des lois contre ça ?!

— Ça tombe bien, je n'ai rien mangé ce midi en prévision.

Je ne lui dis pas qu'en réalité j'ai commencé un nouveau régime pour tenter de perdre les cinq kilos que je tente d'éliminer depuis au moins dix ans. J'en suis aujourd'hui à vingt-cinq de perdus pour vingt-six de repris. Autant dire que la partie est loin d'être gagnée.

Je la suis vers le salon où se trouve déjà Julien, installé sur le canapé, un verre de whisky à la main.

— Comment va le plus beau mec de ce pays ?

Julien tourne la tête vers moi et son visage s'éclaire d'un grand sourire. Pour être beau, il l'est. Grand, athlétique, brun avec des yeux d'un bleu lagon à faire fondre la glace en plein hiver. Un atout de séduction qu'il partage d'ailleurs avec Laetitia.

Les miens sont marron, et cela me désespère, j'en ai conçu un véritable complexe. L'expression inscrite au panthéon de la langue française « blonde aux yeux bleus » montre qu'il y a clairement une erreur de programmation génétique lorsque le lagon est remplacé par un champ de terre.

— Il va bien ! me répond, en toute modestie, mon frère. Comment s'est passée ta rentrée ? Tes nouveaux élèves trouvent grâce à tes yeux cette année ?

— Si je te dis que Gustave Flaubert est naze et que Stromae, ce serait quand même drôlement plus intéressant, ça te va comme réponse ?

Il rit. Je m'assois sur le canapé et lui raconte l'épisode en détail pendant que Laetitia place sur la table basse un assortiment de biscuits apéritifs.

— Et sinon, comment va Adrien ? interrogé-je Julien à mon tour.

— Bien.

— Il ne pouvait pas se joindre à nous ce soir ?

— Non… Il… Il avait un truc de prévu.

— Il y a un souci ? Vous vous êtes disputés ?

Même s'il essaie de se donner une contenance en se penchant pour attraper quelques noix de cajou, le regard de mon frère s'est assombri. C'est presque imperceptible. Sauf pour moi.

— Toujours pas de date pour le mariage, c'est ça ? Mais pourquoi ?

— Difficile de te marier quand tu n'as pas annoncé à tes parents que tu es en couple.

— C'est simple à annoncer, pourtant : maman, papa, je vais me marier avec Julien, que ça vous plaise ou non. Oui, bon, d'accord, peut-être en enlevant le « que ça vous plaise ou non ».

Il plonge son regard dans le mien, avec cette intensité à laquelle je me suis faite mais qui déroute toujours les gens lorsqu'ils le rencontrent pour la première fois. Sauf peut-être ses patients qui, grâce à ce regard, doivent se sentir enveloppés par sa présence.

— Tu as mis le doigt sur ce qui pose problème, justement, me dit-il. Quand on est homosexuel, on est obligé de l'annoncer. Comme une nouvelle. Comme on peut annoncer une naissance ou un enterrement. Vous, les hétéros, vous n'avez pas ce problème. Inutile de réunir tout le monde le soir de Noël, de se lever pour porter un toast et de dire, après avoir pris une grande inspiration : j'ai une nouvelle, voilà, je crois que je suis hétérosexuel.

L'homosexualité de mon frère n'ayant jamais posé de problème au sein de la famille, j'avoue que je n'avais pas envisagé la question sous cet angle. Un jour, il est arrivé à la maison main dans la main avec quelqu'un. Ce quelqu'un s'appelait Bertrand. Maman a fait des crêpes. Fin de l'histoire.

— Et il croit que ses parents vont mal le prendre ?

— Il n'en sait rien, à vrai dire. Et de ce qu'il me raconte de ses parents, je suis à peu près certain que, passé la surprise, tout irait pour le mieux. Mais il a peur. Et moi, je ne veux pas le pousser à faire une chose pour laquelle manifestement il n'est pas encore prêt.

— Mais ça fait deux ans que vous êtes ensemble !

Ses épaules s'affaissent quelque peu.

— Je sais…

Il porte son verre à ses lèvres et avale une gorgée de whisky. Pendant une minute, le silence se fait.

Mal à l'aise, je passe machinalement les doigts sur ma cicatrice. C'est devenu un vrai tic. Ou un vrai besoin.

— Dans deux secondes, vous allez m'annoncer que vous n'avez plus faim, avec vos histoires ! Alors que j'ai sacrifié trois dévitalisations et deux poses de bridge pour vous préparer un succulent repas ! intervient Laetitia. Vous n'êtes vraiment pas sympas avec votre grande sœur. Vous n'avez pas un sujet de conversation plus léger ? Je ne sais pas, moi, le prix scandaleusement élevé des abattants pour WC, par exemple. Je viens de changer les trois de la maison et j'ai limite hésité à prendre un crédit.

Elle nous regarde tour à tour et, de concert, nous éclatons de rire.

Avant de passer à table, elle tient à nous montrer lesdits abattants et nous nous extasions, tout en pleurant de rire, devant de telles beautés.

— Ah, mais moi aussi, j'ai un truc à vous raconter ! J'ai rendez-vous la semaine prochaine avec un homme. Un tueur de chatons gentil comme tout qui s'appelle Germain.

CHAPITRE 5

— Alors, ton repas de famille de ce week-end ? Comment va ta sœur ? me chuchote Audrey.

Nous sommes toutes les trois assises dans une salle de classe avec l'ensemble de l'équipe pédagogique pour une réunion de travail. Cadre parfait pour que je raconte à mes deux amies ma soirée de samedi.

— Très chouette. Laetitia va super bien. Elle a remplacé ses abattants de WC.

Je manque d'éclater de rire devant la tête d'Audrey et de Samya, ce qui serait plutôt mal venu en pleine présentation des projets de l'année animée par Yliès Dupuis, accessoirement notre supérieur.

Plus jeune proviseur du département, il n'est là que depuis trois ans ; mais le moins que l'on puisse dire, c'est qu'il est dynamique et qu'il se démène pour que le lycée sorte de la torpeur dans laquelle il était plongé depuis des années.

Je ne compte plus les journées passées à vendre des gâteaux pour récolter des fonds et financer sorties et autres voyages scolaires.

Il a ce don de réussir à nous embarquer dans tout ce qu'il entreprend. Grâce à son charisme ? C'est possible. Parce qu'il est beau ? C'est une évidence. Athlétique, crâne rasé, mâchoire carrée, yeux verts. Un physique à convaincre Audrey de renoncer à son célibat féministe.

Loin de M. Choupart, son prédécesseur. Qui lui non plus n'avait pas de cheveux. Mais pour d'autres raisons.

Cette année, l'objectif d'Yliès – oui, on l'appelle par son prénom (en raison de sa prononciation incroyablement sexy, essayez, vous verrez) – est d'initier, en dehors des heures de cours, des activités gratuites. Comme toujours, il compte sur les bonnes volontés.

— Pourquoi croyez-vous que les séries américaines mettant en scène des adolescents plaisent tant, chez nous ? Vous avez vu les établissements dans lesquels ils étudient ? Et toutes les choses que l'on peut y faire ? C'est sûr que, s'il venait l'idée à un producteur de faire une série d'ados dans un lycée en France, on se rapprocherait plus de l'ambiance *Derrick* que de celle de *Beverly Hills*. Je veux que nous prenions exemple sur ce qui se fait de bien aux États-Unis. Il faut créer de l'activité en dehors des heures de classe. Que le lycée devienne un lieu de vie pour les élèves, et pas seulement une prison où l'on se traîne dans l'attente et l'angoisse du bac.

Et accessoirement, que cela attire de nouveaux élèves. Pour une structure privée, les inscriptions sont vitales, et nous savons tous que le nombre d'élèves est en recul depuis plusieurs années.

Immédiatement, je visualise des pom-pom-girls-en-jupette-ras-des-fesses enamourées de joueurs de basket

portant des sweat-shirts marqués du nom de leur équipe. Charmant. Savannah, certes, mais Savannah-sur-Seine, je vous le rappelle. Ça n'a l'air de rien, mais ça fait toute la différence.

— J'ai pensé, poursuit Yliès, que l'on pourrait par exemple monter une chorale. Avec un spectacle musical en fin d'année.

— Genre Broadway-sur-Seine, quoi, me souffle Samya, amusée.

Je pouffe.

Audrey, elle, est soudain visiblement très intéressée. Ça ne me surprend pas, elle a une passion pour les comédies musicales. Je ne compte plus le nombre de fois où elle nous a forcées à regarder *La Mélodie du bonheur* ou *My Fair Lady*.

— Quelqu'un serait partant pour gérer ce projet ?

En moins de temps qu'il n'en faut à Darcy pour engloutir une croquette, mon amie a levé la main, les yeux brillants d'excitation.

— Moi ! Je suis volontaire ! s'exclame Audrey, ce qui lui vaut un grand sourire de la part d'Yliès et déclenche au creux de mon ventre une envie furieuse de chanter moi aussi.

Avec lui. Nue dans un lit.

— Parfait ! D'autres idées ? demande-t-il en me regardant.

Un tas d'idées. Malheureusement, toutes interdites au moins de dix-huit ans.

— Un atelier d'écriture ? me risqué-je, prise de court comme un lapin dans les phares d'une voiture.

— Un atelier d'écriture ?! Tu n'avais pas plus fun en magasin ? ricane Audrey alors que nous sommes attablées quelques heures plus tard devant de gigantesques pêches melba.

Mon régime aura duré trois jours, huit heures et cinquante-quatre minutes. Soit huit heures et cinquante-quatre minutes de plus que le dernier : je suis trop fière de moi.

— Oui, bah c'est la première chose qui m'est venue à l'esprit. Il fallait que je dise quelque chose, son regard était littéralement en train de dissoudre ma petite culotte. C'est sûr que, avec son idée de chorale, il tapait dans le mille avec toi.

— Ça peut être vachement sympa, un atelier d'écriture, intervient Samya.

— Arrête, tu dis ça pour pas que je te charrie avec ta proposition de club d'échecs. Nan mais les filles, poursuit Audrey, le but c'est de moderniser. Pas d'encroûter.

— Je ne vois pas ce que tu reproches aux échecs, rétorque Samya d'un air faussement vexé. Des tas de gens hypercool jouent aux échecs.

— Comme qui ? M. Paul, de l'EHPAD des Ulis ?

— C'est qui, M. Paul ? l'interrogé-je.

— Aucune idée ! Mais certainement pas quelqu'un d'hypercool.

— Excuse-nous de vouloir rehausser le niveau culturel de ce lycée ! Et puis, je voudrais pas casser ton enthousiasme, Audrey, mais si je repense à *Glee*, il me semble que ce sont un peu des losers qui s'inscrivent à la chorale, non ?

— Et toc ! Trinquons en l'honneur de Savannah-la-Loose et mangeons plutôt nos glaces pour célébrer les presque quatre jours de feu mon régime.

De retour chez moi, je fuis le désordre de Claudia et me réfugie dans ma chambre où j'ai l'habitude, et pour cause, de travailler. Cette pièce est un endroit qui n'appartient qu'à moi. J'ai pris tout mon temps pour la meubler, afin d'être certaine de créer un univers qui me plaise et me ressemble. Je souris en repensant à tous ces mois pendant lesquels j'ai dormi sur un matelas posé à même le sol, faute de trouver le lit parfait.

Qu'est-ce que je pourrais bien leur faire écrire pendant mes ateliers d'écriture ? Et surtout, y aura-t-il des élèves intéressés et présents ?

Adossée à un oreiller, sur mon lit, le fameux, en bois clair rehaussé sur des tiroirs, notebook sur les genoux, stylo dans la bouche, je tente de poser les bases de ce projet. Je commence à connaître Yliès, il ne se contentera pas d'une déclaration de bonne intention.

Pour l'instant, sur la première page du carnet, j'ai écrit « Projet atelier d'écriture ». Et aussi « trouver des idées ». C'est un bon début.

— T'aurais pas une idée, toi, Darcy ?

Ma chienne est couchée dans son panier et daigne ouvrir un œil au son de son nom. Comme celui-ci n'est pas accompagné d'un gâteau (Darcy raffole des langues de chat, allez savoir pourquoi…), elle referme ledit œil et pousse un soupir canin caractéristique m'informant de son total désintérêt pour mon projet. L'ingrate !

Mon regard s'égare et je contemple la décoration de ma chambre. Une idée lumineuse est peut-être cachée derrière l'un des doubles rideaux rayés bleu et blanc ? Ou derrière l'une des photos prises lors d'un voyage familial à San Francisco ? C'était juste avant le décès de Moune, nos dernières vacances à cinq.

Trois petits coups frappés à la porte me tirent de ma réflexion. Évidemment, alors que je commençais justement à avoir des tas d'idées. Enfin, des tas. Au moins une : prévoir des feuilles.

— Oui, Claudia ?

Ma colocataire passe la tête dans l'entrebâillement. Curieusement, sa peau est superbe. Je vais peut-être me laisser convaincre par la courgette fermentée, finalement.

En revanche, je ne peux pas en dire autant de ses cheveux. Elle est dans une phase *no-poo*, entendez par là « sans shampoing ». En ce qui me concerne, je suis horrifiée par l'état de mes cheveux après trois jours sans lavage. Je n'ose imaginer ce que cela donnerait au bout de sept. Alors au bout de vingt…

— Dis, Max, par hasard, tu serais dispo demain matin pour venir avec moi promener les chiens du refuge ? La fille avec qui je le fais habituellement est tombée malade.

Je me demande si c'est parce qu'elle a fait une overdose de tofu, mais je me garde bien de poser la question.

— Il y a huit chiens à balader, et toute seule ça risque d'être compliqué.

L'image de Claudia faisant le cerf-volant derrière huit chiens déchaînés qu'elle tient en laisse s'impose instantanément à mon esprit. Je suis tentée de refuser, rien que pour la suivre discrètement avec mon téléphone en mode vidéo.

— C'est à quelle heure ? Parce que j'ai rendez-vous chez le dentiste demain en début d'après-midi.

— En général, on part vers 10 heures et on est de retour avant midi. On y va cool. Un petit tour au parc, et retour au bercail.

J'ai envie de sacrifier ma seule matinée de libre de la semaine comme un poulet a envie de finir en nuggets.

— Oui, pas de souci, tu peux compter sur moi !

C'est bon, les nuggets, en même temps…

CHAPITRE 6

Claudia est bénévole pour le refuge Babines&B depuis plusieurs années. Si je me moque souvent de ses lubies et autres bizarreries, j'admire malgré tout les engagements qui sont les siens. C'est une jeune femme qui a des convictions et qui construit sa vie autour d'elles.

En ce qui me concerne, je suis incapable ne serait-ce que de renoncer à l'huile de palme du Nutella. Alors m'enchaîner à un arbre pour manifester contre la déforestation me paraît mal engagé.

À 10 heures tapantes, deux chiens au bout de chaque main, nous sommes parées pour la balade. Ils jappent en chœur, pressés qu'ils sont de se dégourdir les pattes hors de leur enclos.

Mon attelage est pour le moins insolite : un bouledogue, un yorkshire, une sorte d'étrange mélange entre une tête de caniche et un corps de chihuahua, et un labrador.

— C'est moi, ou ça sent le munster ?

Le nez plissé, je me dirige vers ce qui semble responsable de l'odeur : j'ai nommé Mistinguett le bouledogue.

— Mais oui, c'est toi qui pues comme ça ! Désolée de te dire ça, ma belle, mais tu ne trouveras jamais de famille adoptive avec une telle odeur. Va falloir trouver une solution.

Comme pour appuyer ma remarque, Mistinguett tourne la tête vers moi. Avec sa large gueule et sa langue pendante, on dirait qu'elle me sourit. Malgré moi et malgré la puanteur, je fonds.

J'ai toujours eu une affection particulière pour les chiens. Amour inconditionnel, absence de rancune, tout ce que l'on aimerait plus fréquemment rencontrer chez les êtres humains. *Moune était comme ça*, me dis-je. Un labrador humain, sans l'odeur de saucisson qui va avec.

Mais, étrangement, elle préférait les chats dont il fallait gagner l'affection. Le défi était plus motivant. Et lorsque l'animal choisissait de vous accorder sa confiance, le lien était selon elle d'autant plus fort. Elle admirait aussi leur indépendance. Au fond, elle était un mélange improbable de chien et de chat, comme de la mayonnaise sur de la brioche.

— Max ? Ça va ? Tu as l'air loin d'ici.

— Oui, oui, ça va, ne t'inquiète pas. Je pensais à ma grand-mère. Bon, on y va ?

— Allez, c'est parti.

Nous sortons du refuge et nous dirigeons vers le parc à proximité. Mon pas est rapide. Non parce que j'ai décidé de faire un peu de sport pour éliminer la chantilly de la veille, mais parce que je suis entraînée par les chiens qui tirent sur leur laisse, tels des gamins devant l'entrée de Disneyland. En à peine quelques minutes, je suis dans l'allée principale du parc. C'est pratique, ce mode de locomotion. On ne pense pas assez souvent à se déplacer en chien. Il fait plutôt beau aujourd'hui, et j'admire les massifs de fleurs tardives. Enfin, j'admire, on dira que je les regarde défiler.

Et puis, une centaine de mètres devant moi, j'aperçois quelque chose. Il me semble que c'est…

Oh. Mon. Dieu.

Un lapin.

Si on était dans un film, c'est à ce moment-là qu'il y aurait un ralenti. Les chiens, babines en avant. Mes yeux qui s'agrandissent. Le lapin, oreilles dressées, petite queue blanche qui s'immobilise.

Puis retour à la vitesse normale.

En un quart de seconde, la situation m'échappe. Les chiens ont sans doute senti le lapin (qui a sans doute, lui, senti le sapin) avant même que je le voie. De toutes leurs forces (même le canihuahua), ils se projettent en avant, et moi je fais un bond. Je passe de la marche rapide à la course. Je me concentre pour ne pas lâcher les laisses. J'entends Claudia au loin me baragouiner je ne sais quel conseil. Je crois deviner qu'elle me dit de leur ordonner de s'arrêter. Comme si je n'y avais pas pensé. Comme s'ils avaient envie de m'obéir, surtout.

— Aaaaaaaarrêtez-vous !!! C'est un oooooooordre !!!!

La scène, j'en suis certaine, aurait de quoi faire rire. Si la fille en question n'était pas moi.

Comme le lapin est fourbe, et qu'il ne veut pas finir en civet, il décide sans crier gare de bifurquer avec un virage à angle droit. Les chiens le suivent, décrivant un virage un peu moins serré mais sec quand même. Avec leurs quatre pattes, le dérapage est plus aisé que pour moi sur les deux miennes. Mon buste décide de suivre les chiens. Mes jambes, les traîtresses, continuent d'aller tout droit. La sanction est immédiate, je m'écroule par terre avant d'être traînée sur une dizaine de mètres. J'en avale même une pâquerette.

Heureusement, ma chute permet au lapin de sauver son charmant petit arrière-train.

Les chiens ont reconnu leur défaite et stoppé leur course. Je m'immobilise à mon tour et, les mains toujours agrippées aux laisses, je me retourne sur le dos. Les yeux fermés, je tente de reprendre mon souffle et de vérifier si tous mes membres répondent. Jambe droite, OK. Jambe gauche, bof, mais on fera avec.

Un liquide gluant et une forte odeur de pieds m'obligent à ouvrir les yeux. Mistinguett, tout sourire, se tient au-dessus de moi et, parce qu'une fois ne suffit pas, elle m'accorde un second coup de langue sur la joue.

— Ça va, Maxine ? Tu n'as rien ? Quelle chute !

Me redressant sur un bras, repoussant de l'autre le fromage à raclette sur pattes, et recrachant une touffe d'herbe à moitié avalée, je suis prise d'un début de fou rire.

— Une balade cool, tu disais ?

À 14 heures, boitillante de la jambe gauche et griffée sur la joue droite, je suis devant la porte du cabinet de Laetitia. Contrairement à la plupart des gens, j'adore aller chez le dentiste. Enfin, en réalité, j'adore aller voir ma sœur. Qui se trouve être dentiste.

C'est un rituel que j'ai instauré depuis quelques années déjà. Tous les quinze jours, je prends rendez-vous et je viens passer une petite demi-heure de détente sur le fauteuil hydraulique. C'est l'une des solutions que j'ai trouvées pour la voir régulièrement. Ça lui semble bizarre, mais je sais qu'elle aussi a fini par apprécier mes visites. Une fois, c'est même elle qui m'a envoyé par texto la date et l'heure du prochain rendez-vous parce que j'avais oublié de voir ça avec Anne au moment de partir.

— Bonjour, Anne ! Comment ça va ? Et Gabrielle, sa varicelle ?

Un rendez-vous deux fois par mois depuis plus de quatre ans, ça crée nécessairement des liens avec l'assistante dentaire.

— Ne m'en parle pas. Elle a des boutons partout. Le pédiatre a prescrit une sorte de produit rouge à mettre dessus pour éviter qu'elle se gratte. On dirait une immense guirlande lumineuse. Mais et toi ? Qu'est-ce qui t'est arrivé ?

Que lui répondre ?…

Hypothèse 1 : alors que j'étais en route, j'ai vu une grand-mère se faire agresser et je suis intervenue pour maîtriser l'assaillant. Genre ceinture noire de karaté.

Hypothèse 2 : j'ai sauté d'un pont pour sauver un enfant de la noyade. Genre super-héros à talons.

J'hésite.

— Je me suis fait traîner par terre par des chiens qui coursaient un lapin.

Mouais. Ce soir, avec Germain, j'opterai peut-être quand même pour la grand-mère.

— Ils ne t'ont pas loupée ! Tu es tombée sur un os !

Pour couper court à la surenchère de jeux de mots douteux bien que marrants (quand on n'en est pas l'objet, *of course*), je claudique vers la salle d'attente.

— Je te vois te marrer derrière mon dos, Anne !

— Même pas vrai, répond-elle avant d'éclater de rire.

Heureusement, la salle d'attente est vide. Deux minutes plus tard, j'entends le pas de Laetitia.

— Voilà ma sœur préférée ! m'accueille-t-elle avec un grand sourire. Mais qu'est-ce que tu as sur la joue ? Tu t'es battue avec Anne ?

— Elle ne voulait pas me rendre ma carte vitale. Il a bien fallu que j'emploie les grands moyens.

D'un pas alerte[1], je la suis dans la salle de soins et m'installe confortablement sur le fauteuil. Comme chaque fois, je me dis qu'il faudrait que j'en fasse mettre un dans notre salon. Ce serait parfait pour accompagner nos soirées film d'horreur avec Claudia et Darcy. Ma chienne a en effet une passion pour les films d'épouvante. La musique sans doute, ou les os des cadavres qu'elle aimerait rogner. À moins que ce ne soit le pop-corn qui tombe par terre à chacun de nos sursauts.

— Alors, c'est pour quoi ma p'tite dame aujourd'hui ? me questionne Laetitia.

— Allons-y pour un détartrage ! J'ai un rendez-vous ce soir, tu te souviens ?

— Max, tu dois avoir les dents les plus détartrées de toute la planète à venir me voir tous les quinze jours. À force, on va finir par attaquer l'émail. Tu devrais plutôt t'occuper de tes ongles.

Rapide comme l'éclair, je fourre mes mains sous mes fesses pour qu'elle ne puisse pas les attraper et me faire la morale. Je me ronge les ongles depuis toujours

1. Et bancal. Oui, bon, ça va, on a compris.

et, par conséquent j'ai des mains aussi belles qu'un chat sans poil.

— Comment il s'appelle, déjà ? me demande-t-elle en levant les yeux au ciel.

— Germain. Et toi, ça va sinon ? Comment vont tes abattants de WC, au fait ?

— Ils vont bien. Il y en a même un qui fait ses nuits !

Voilà pourquoi j'aime aller chez le dentiste. Parce que, pendant vingt minutes, je papote et je rigole avec ma grande sœur. Vous me direz, peut-être qu'il en ira autrement le jour où elle devra réellement se servir des espèces d'engins effrayants qui pendent à côté du fauteuil.

— Comment ça se passe au lycée, sinon ? Le proviseur est toujours aussi canon ?

— Ne m'en parle pas. Dès qu'il me regarde, la température de mon sang grimpe de dix degrés.

— Rappelle-moi pourquoi tu ne tentes pas ta chance, déjà ?

— Parce que c'est mon supérieur. Je dis n'importe quoi chaque fois qu'il me pose une question, alors imagine ce que ce serait si je savais à quoi il ressemble nu.

— Peut-être qu'il a du bide, justement. Ou qu'il a tout le dos recouvert de poils noirs et épais.

— Aaaah, c'est dégoûtant… Mais d'où tu sors toutes ces horreurs ?

— Déformation professionnelle. Je dois passer trop de temps au-dessus de trucs affreux et qui sentent mauvais, faut croire.

— Eh bien, heureusement que tu n'es pas pédicure.

— Ou urologue, poursuit-elle sérieusement avant d'éclater de rire.

Chapitre 7

Germain m'a donné rendez-vous dans un restaurant à mi-chemin entre Savannah-sur-Seine et l'arrondissement de Paris dans lequel il habite.

J'ai longtemps hésité sur ma tenue, envoyé au moins dix photos de look à Samya et Audrey avant d'opter pour une robe noire toute simple. Le noir, c'est bien, le noir, ça amincit, le noir, ça va avec tout. Tout ça pour ça.

J'ai aussi choisi une paire de chaussures à hauts talons, histoire de me grandir un peu.

Si je suis née le lendemain de la distribution de l'équilibre (c'est dire si je suis aventurière, à porter des talons), j'ai aussi loupé la distribution des centimètres. Bref, j'ai dû naître le pire jour qui soit. Un lundi, sans doute.

Le plus long a été de me décider pour le sac à main. Depuis toute petite, je les ai en adoration. Moune avait dans son placard plusieurs sacs Hermès que je pouvais admirer pendant des heures lorsque j'allais chez elle. Quand elle me laissait me déguiser avec ses foulards, ses chaussures et que j'avais le droit d'en accrocher un à mon bras, j'étais la plus heureuse des gamines.

Chaque année, pour mon anniversaire, je m'offre donc un sac à main. Ils ont une étagère rien que pour eux dans mon armoire.

Pour mettre un peu de lumière sur la robe noire, j'en ai finalement pris un de couleur orange dont le cuir est si souple que j'ai failli défaillir d'émotion en le touchant dans le magasin.

Il n'y a plus qu'à trouver un homme qui me fasse le même effet. Peut-être que ce sera Germain[1], voilà ce que je me dis en entrant dans le restaurant.

La Dolce Vita est une charmante pizzeria[2] à la décoration classique mais agréable. Des colonnes blanches, des plantes vertes et même une petite fontaine au milieu de la salle.

Je parcours le restaurant du regard, il n'y a pas grand monde ; il faut dire qu'il est à peine 19 heures, je devrais le repérer sans mal.

Ça doit être lui, là-bas. Je fais quelques pas vers la table en question où un homme seul est assis. Il me sourit et se lève pour me faire la bise. Il est craquant avec ses fossettes et ses grands yeux bleus. On dirait Brandon Walsh de *Beverly Hills*. J'étais plutôt Dylan McKay, mais je peux me satisfaire de Brandon.

— Bonsoir Maxine. Tu as trouvé facilement ?

1. J'en vois certains rire…

2. La Dolce Vita est à la pizzeria ce que Coup'Tif est au salon de coiffure : un nom très original.

— Oui, oui, pas de souci.

— C'est un collègue qui m'a parlé de cette pizzeria et j'ai vérifié, elle est très bien notée sur Restoparano.com. Quatre toques pour l'hygiène !

— On n'est jamais trop prudent, je ponctue, ce qui a pour effet d'agrandir son sourire dévoilant des dents blanches et parfaitement alignées.

Ne fais jamais confiance à un homme qui a les dents jaunes, m'a toujours répété Laetitia. De l'humour de dentiste, il faut croire.

— Tu es prof, c'est ça ?

— Oui, de français. Cette année, j'ai des secondes.

— Ça doit être sympa, comme métier.

— Oui. Enfin, si on accepte que les élèves aient envie de lamentablement jeter Gustave Flaubert à la poubelle, et avec lui Proust et Verlaine. En même temps, quand on y pense, Maître Gims est un grand auteur dans son genre.

Il rit. Ne fais jamais confiance à un homme qui ne rit pas à tes blagues, même pourries, m'a toujours répété Julien. De l'humour de psychologue, pour le coup. Germain rit à mes blagues et a de belles dents. Il correspond donc à l'homme idéal aux yeux du duo dentistico-psychologique de la famille.

Après avoir regardé la carte quelques minutes, je commande au serveur des penne all'arrabbiata et un verre de vin rouge parce que ça fait plus sérieux qu'un Orangina.

— Eh bien, je vais prendre comme la demoiselle, dit Germain.

Je trouve ça chou.

Pendant que nous attendons nos plats, Germain me parle un peu de lui, de son travail de comptable, de sa patronne qui a perdu sa fille d'un cancer alors qu'elle n'avait que trente ans.

— C'était la meilleure amie de ma fiancée. Enfin, de mon ex-fiancée…

Si Samya était là, elle poserait sa main sur la sienne en mode compassion. Si Audrey était là, elle lui demanderait ce qui clochait chez lui pour qu'elle ait annulé le mariage. Quant à moi…

— Tu as déjà la bague pour la prochaine fois, c'est ce qu'il faut se dire.

Devant sa mine effarée, je réalise que, à mon habitude, je n'ai pas été très diplomate.

— Enfin, ce que je voulais dire, c'est qu'il y aura sans doute une autre fois, une autre histoire, mais qui finira bien.

Son visage se détend.

— Oui, je l'espère. J'ai très envie d'avoir de nouveau quelqu'un avec qui partager ma vie.

« Prends un chien », dirait Audrey. Elle me répétait ça sans cesse avant que finalement j'adopte Darcy.

— Je cherche quelqu'un qui ait les mêmes envies que moi, poursuit Germain. Quelqu'un de stable, qui ne partira pas à l'autre bout de la France sur un coup de tête. Qui ne changera pas d'avis toutes les semaines.

Alors que je m'apprête à l'approuver, le serveur pose devant nous nos assiettes de pâtes.

Je soupire.

— Je le savais !

— Tu savais quoi ?

— Que j'aurais dû commander des lasagnes. J'ai hésité tout à l'heure. J'avais d'abord choisi les lasagnes et je me suis dit, tiens, et si je prenais autre chose pour changer, je prends toujours des lasagnes. Qu'est-ce qui pourrait bien se passer si je prenais des pâtes ? Et maintenant, c'est malin, je regrette. Pardon, tu disais, du coup ? J'ai perdu le fil, excuse-moi.

— Rien d'important, me répond-il. Elles m'ont l'air délicieuses, ces pâtes. Délicieuses.

Je lui souris. Il est vraiment mignon, il me plaît bien. Je sens déjà qu'entre lui et moi, ça colle.

CHAPITRE 8

— Alors, ce rendez-vous ? m'interroge Audrey. Il est comment, le comptable ?

Comme tous les dimanches matin, nous nous sommes donné rendez-vous au début d'un sentier en périphérie de la ville pour faire un footing.

Cela fait quelques mois déjà que nous avons commencé à courir. Par amour de la panoplie fluo peut-être, ou plus vraisemblablement pour faire comme tout le monde et avoir l'air dans le coup.

Claudia nous accompagne parfois, mais hier soir elle a participé à une manifestation pour la défense de je ne sais plus quelle marmotte menacée d'extinction, la marmotte bicolore, je crois, et elle n'est rentrée qu'au petit matin.

Avec d'autres membres du Gloups, Groupe de lutte organisé uni partisan et solidaire, elle s'est allongée sur la chaussée, enduite d'une espèce de colle végétale, devant les ateliers d'un fabricant de chocolat utilisant lesdites marmottes pour sa communication.

Lorsque je l'ai croisée juste avant de retrouver les filles, elle avait les fesses à l'air et plus que le devant de son jean (la colle végétale, c'est redoutable) mais le sourire aux lèvres. Apparemment, ils ont obtenu l'arrêt de la publicité. Les marmottes peuvent désormais dormir tranquille. C'est grâce à des personnes comme Claudia que le monde est meilleur. Si parfois je me moque, j'aime son grand cœur.

Alors que nous faisons de petits mouvements d'assouplissement et quelques sauts pour nous échauffer, je leur raconte la soirée.

— C'était très chouette. Je trouve qu'il est vraiment sympa. Et mignon en plus. Il a deux petites fossettes sur les joues quand il sourit.

— Il t'a dit pourquoi il s'était fait larguer le jour de son mariage ? demande Samya.

— Pas le jour de son mariage, avant le mariage ! C'est une histoire trop triste, en plus. La meilleure amie de sa copine est décédée d'un cancer et elle lui a envoyé des lettres pour qu'elle fasse des trucs pour elle après sa mort. Comme dans *PS, I love you*, vous vous souvenez, ce bouquin dont je vous ai parlé. Apparemment, elles avaient regardé le film, enfin bref… Elle est partie à la montagne et, quand elle est rentrée, elle l'a quitté. Soi-disant qu'il l'aimait trop et qu'ils ne se disputaient pas assez. Une cinglée !

— Le pauvre… s'émeut Audrey.

— Ah, tu vois ! Même toi tu trouves que c'est triste.

— Je me méfie des hommes et ne leur fais aucune confiance, mais ça ne veut pas dire que je n'ai pas de cœur.

L'échauffement terminé, nous nous mettons en mouvement. Petites foulées calculées, bras en cadence, respiration maîtrisée. Et ce tout le long du parcours, jusqu'à notre point de chute habituel, un banc.

Trois cents mètres plus loin.

Un peu de course, beaucoup d'arrêts. Samya, Audrey et moi, on est devenues expertes dans la pratique du fractionné.

— Et donc tu as envie de le revoir ? m'interroge Samya

— Je crois que oui. Apparemment, il cherche quelqu'un pour partager sa vie.

— Qu'il prenne un chien ! s'exclame Audrey.

— J'étais sûre que tu sortirais ça. Je t'ai même entendue le dire dans ma tête.

— C'est vrai, quoi, ça ne vous fait pas penser à un chien quand une personne dit ça ? Moi, si. Nan mais, Samya, imagine que dans quelques années ta fille te dise qu'elle a rencontré quelqu'un de doux et fidèle… Promets-moi de lui demander s'il a le poil soyeux en souvenir de moi !

Audrey paraît si sérieuse que Samya et moi éclatons de rire.

— Toi et le comptable, c'est donc une affaire qui roule ? tente Samya pour calmer notre fou rire.

— Il doit m'envoyer un message pour qu'on se cale un nouveau rendez-vous.

Comme pour accréditer mon propos, mon bras émet un bip.

— Ah, vous voyez, je suis sûre que c'est lui.

J'extrais mon téléphone du brassard – sportive, oui, mais toujours connectée –, il ne faut pas perdre de vue l'essentiel.

— Gagné ! Je vous le lis.

< *Maxine, j'ai passé une très bonne soirée, mais je préfère qu'on en reste là. Tu sembles plutôt instable comme fille... Et avec ce que je viens de vivre, j'ai besoin d'une personne sur laquelle je puisse compter, qui ne me brisera pas le morceau de cœur qu'il me reste. Je suis désolé. Bonne continuation dans tes projets.* >

— Pardon d'insister, dit Audrey pour rompre le silence à couper au couteau qui s'est installé, mais qu'il prenne un chien, bordel : il ne lui brisera pas le cœur et en plus il remuera la queue.

Chapitre 9

Affirmer que je suis malheureuse de ce message de rupture ou plus exactement de rupture par anticipation serait peut-être un peu fort.

Après tout, nous n'avons partagé que quelques conversations sur un site de rencontres et une assiette de pâtes.

Je ne me sens pas malheureuse, non. Rejetée, nulle et pathétique, certainement.

J'ai rédigé puis effacé plusieurs messages de réponse, du larmoyant « Mais pourquoiiiii ?? Laisse-moiiii une chance !! » au mensonger « Pour moi non plus, ça ne l'a pas fait, de toute façon », en passant par le défoulant « Va te faire cuire le cul », pour au final envoyer un classique « Bonne continuation à toi aussi. Je t'embrasse ».

— Alors dites-moi, quelle vision de l'homme l'auteur donne-t-il dans ce texte ?

— Que ce sont tous des lâches et des gros nazes ! s'exclame spontanément Inès sans que j'aie eu besoin de désigner une victime pour répondre.

Petite victoire dont je suis fière.

Elle est approuvée bruyamment par l'ensemble des filles de la classe. Intérieurement, mon ego applaudit.

Un ressenti sans lien aucun avec un certain comptable parisien ressemblant de loin et par temps de brouillard à Brandon Walsh.

— Rodolphe laisse la fille croire qu'il a des sentiments pour elle, alors qu'il sait très bien qu'il n'en a pas et ensuite il la balance comme une vieille basket, poursuit Inès à propos du passage de Flaubert que je leur fais étudier.

— Peut-être que la fille, elle s'est fait des idées aussi ? intervient Romain. Il lui avait rien promis, le mec, mais vous, les gonzesses, vous êtes toujours à vous emballer. On vous emmène au ciné et hop, vous pensez à votre robe de mariée et au nombre d'enfants qu'on aura !

Une robe de mariée ?

N'importe quoi…

Comme si on pensait tout de suite à notre future robe de mariée…

Ivoire.

Avec un bustier en dentelle.

— Alors que nous, poursuit-il, on se préoccupe seulement du film qu'on va aller voir et de vérifier qu'on n'a pas mauvaise haleine pour pouvoir vous embrasser.

— Ce n'est pas notre faute si vous êtes limités, intervient Julie. Excusez-nous d'avoir un cerveau et de l'utiliser pour réfléchir un peu plus loin que les vingt prochaines minutes.

— Ouais, bah, la fille du texte, à trop faire des plans sur les dix ans à venir, elle l'a perdu, le gars. Peut-être que si elle s'était moins pris la tête, peut-être que si elle lui avait pas mis la pression, ç'aurait été cool entre eux, termine Romain.

La sonnerie marque la fin du cours.

— Je vous laisse méditer là-dessus, et pour la prochaine fois je vous propose de m'écrire une petite synthèse sur les grandes histoires d'amour dans la littérature en mettant en évidence leurs points communs.

— Ça devrait être facile, ironise Jonathan, elles finissent toujours mal.

— Ah oui ?

— Oui. Parce que l'amour, ça rend con ! Sans vouloir vous offenser, madame.

— Maxine ?

Yliès m'interpelle alors que je range mes affaires. Je tourne la tête vers lui.

Ne pas l'imaginer nu. Ne pas l'imaginer nu.

Les fesses moulées dans un boxer noir, le torse imberbe et musclé, il se dirige vers moi.

Raté !

— Oui, Yliès ?

— Vous avez progressé sur le projet d'atelier d'écriture ? J'adore l'idée. Vraiment.

Mince, l'atelier d'écriture. J'ai commencé à y réfléchir, et puis il y a eu les chiens, ma sœur et Germain. J'en suis donc restée au stade du « trouver des idées ». Et « prévoir des feuilles ».

— Tout à fait, oui. J'ai bien avancé, même.

Le grand sourire qu'il m'adresse vaut tout à fait ce petit mensonge.

— Et donc ? Vous souhaitez les faire travailler sur quoi ?

Machinalement, je passe la main sur ma cicatrice.

— Quel est le sujet qui les intéresse le plus au monde, selon vous ?

C'est une stratégie comme une autre. Je pose une question à laquelle je n'ai pas de réponse, en espérant que mon interlocuteur m'apportera des éléments que, bien sûr, je m'empresserai de faire miens.

— Je ne sais pas. Eux-mêmes ? me répond-il malicieusement.

Ça ne marche pas à tous les coups, je vous l'accorde.

— Oui, c'est certain. Mais à vrai dire, je pensais plutôt…

Réfléchis, Maxine, réfléchis ! J'entends dans le couloir plusieurs élèves, garçons et filles, en train de rire, et une idée me vient :

— L'amour, bien sûr !

— Vous êtes certaine ?

— Certaine. L'amour, il n'y a que ça qui intéresse au fond, non ?

Chapitre 10

Rien de tel qu'une soirée karaoké pour se remonter le moral. Ce n'est pas le cas pour vous ? Étonnant ! En ce qui me concerne, chanter faux comme une hystérique a toujours eu le mérite de me détendre et de faire fondre, comme la cellulite sur un tapis de course, mes préoccupations du moment.

— Qu'est-ce que vous buvez ce soir, les filles ? nous demande Steeve le serveur.

À force de nous voir chaque vendredi et parfois même d'autres jours, il pourrait probablement nous apporter notre commande sans même nous questionner.

— Trois mojitos pour nous et un virgin pour la demoiselle là qui ne boit pas d'alcool, je réponds en désignant Claudia du doigt.

Alors que je me préparais pour sortir, je lui ai proposé de se joindre à nous pour une soirée de débauche vocale.

— Et sinon, toi, ça va ? minaude Audrey devant Steeve.

— Ça va, ma belle. J'ai passé une audition pour un petit rôle dans une série télévisée. Ils m'ont rappelé ce matin et veulent me revoir.

Nos cris de joie marquent notre enthousiasme sincère. Steeve essaie de percer en tant que comédien depuis plusieurs années déjà. Hélas, mis à part une publicité pour des pastilles contre la toux, c'est son boulot de serveur qui paie les factures et les cours de théâtre.

— Il est mignon, lui, nous souffle Claudia alors que Steeve s'est éloigné prendre la commande d'une autre table.

— M'en parle pas, soupire Audrey, si seulement j'étais un mec.

— Ah, parce que ?…

— Eh oui. Mais je ne désespère pas de le faire virer de bord. Il ne peut pas résister éternellement à mon charme ravageur.

Audrey a toujours eu un faible pour Steeve. Avec ses longs cheveux blonds, ses yeux bleus et ses lèvres charnues, il est incroyablement canon. Mais aussi incroyablement gay. Hélas !

Nous bavardons de tout et de rien. Surtout de rien.

Je partage avec les filles mon sentiment de nullité après le texto de non-début-d'histoire envoyé par Germain.

Audrey, qui bat des cils lorsque Steeve dépose nos verres sur la table, me répète le plus sérieusement du monde que nous n'avons pas besoin d'hommes. Samya envoie discrètement des messages à son mari pour savoir si tout va bien à la maison.

Et Claudia espère que la menthe de son virgin mojito est bio et ne provient pas d'une de ces exploitations qui pratiquent la culture intensive, détruisant la planète à petit feu.

Une soirée bien agréable, en somme.

— C'est pas le tout, les filles, mais on est là pour chanter, quand même. Alors, qui se lance ?

— Parce que c'était sérieux, cette histoire de karaoké ? m'interroge Claudia avec un air un peu paniqué. On ne va quand même pas se mettre à chanter là, au milieu de tous ces gens qui vont nous regarder ?!

— C'est un petit peu le concept du karaoké, répond Audrey. Tu vas voir, on va se marrer.

— Ah, mais je n'oserai jamais !

— Toi, tu n'oseras jamais ? Attends, Claudia, tu t'enchaînes à des arbres, tu t'allonges sur les routes en te collant le pantalon sur le bitume et tu vas me dire que tu as peur d'une toute petite chanson ?

— Mais je chante comme une casserole… Eh, mais, qu'est-ce que tu fais, Max, reviens, rassieds-toi !

Malgré ses yeux suppliants, je me dirige vers le type chargé de l'animation. Je lui souffle le titre d'une chanson à l'oreille, puis j'attrape le micro qu'il me tend.

En mode star, tel Johnny Hallyday sur la scène du Stade de France, je ferme les yeux comme si je m'apprêtais à enflammer mon public transi d'impatience de m'entendre chanter un rock'n roll qui déménage sa grand-mère. Les premières notes de la chanson retentissent.

« Regaaaarde, le jour se lèèèèèèève, dans la tendresse, sur la ville… »

Le rock'n roll, c'est du yaourt 0 % à côté de Peter et Sloane.

Je fais quelques pas vers notre table. Samya et Audrey sont déjà écroulées de rire, et je poursuis :

« Tu me fais viiiiivre, comme dans un rêêêêêve, tout ce que j'aiiiiiiimeuhhhhhh ! »

Et c'est parti !

« Besoin de rien, envie de toiiiiii, comme jamais envie de persooooooonne, besoin de rien, envie de toi, envie de touuuaaaaaaa ! »

Samya et Audrey ont entonné le refrain avec moi. Claudia est mortifiée, elle va sans doute me dénoncer au Gloups pour humiliation publique de colocataire.

Nous nous déhanchons, chantons en chœur, faux et fort comme il est de coutume dans un karaoké. Du coin de l'œil, je vois petit à petit un sourire naître sur le visage de Claudia ; à la fin de la chanson, elle fredonne même. Ah ah, je le savais. Personne ne résiste à Peter et Sloane. Personne !

Alors que la musique s'arrête, les applaudissements font rage, je salue mon public – de dix personnes, il faut bien débuter – et reprends place à côté des filles.

— Alors ? Je ne milite pas pour sauver les marmottes, mais moi aussi je rends le monde meilleur avec ma voix, non ?

Claudia éclate de rire.

— J'aurais peut-être dû tenter ma chance à Broadway, poursuis-je. Si j'avais pris des cours de chant, peut-être qu'aujourd'hui j'aurais moi aussi un spectacle à Las Vegas, comme Céline Dion.

— Ça y est, la voilà repartie avec ses si et ses peut-être ! s'exclame Samya. Ça faisait longtemps.

— Désolée de te contredire, Max, coupe Audrey, mais la star de notre groupe, c'est moi. Celle qui est incollable sur les comédies musicales, c'est moi. Alors tu bouges ton cul de Las Vegas et tu me laisses y mettre le mien. D'ailleurs, c'est mon tour d'aller faire étalage de mon talent.

Plusieurs mojitos et chansons plus tard, il est près de 1 heure du matin lorsque nous quittons le bar. Je ne marche plus très droit, Audrey déclare sa flamme à un réverbère, tandis que Samya tente de nous prendre en photo avec son agenda.

Claudia, imperturbable dans ses bottines commerce équitable, nous soûle (s'il en était besoin) avec un discours contre la municipalité qui ne réduit pas l'intensité des éclairages publics et fait marcher l'industrie du nucléaire.

Une seule d'entre nous est sobre, quoi.

Demain, je regretterai le dernier verre, j'aurai l'impression que Darcy aboie dans un mégaphone, je prierai pour que personne n'ait pris de photos.

Mais, pour l'instant, je ris avec mes amies. Et c'est bon.

CHAPITRE 11

Dire que je me réveille avec un mal de crâne est un euphémisme. Imaginez que l'on vous troue la boîte crânienne avec une perceuse. Multipliez la sensation par dix, et vous n'aurez qu'une vague idée de l'état dans lequel je me trouve depuis mon réveil aux aurores, vers midi et demi.

— Plus jamais je ne boirai d'alcool ! Tu m'entends, plus jamais. Je vais me faire tatouer cette phrase sur l'avant-bras dès cet après-midi.

— Ça va très bien, moi, me répond Claudia tout en m'apportant un mug rempli d'un breuvage de son cru censé faire disparaître les roulements de tambour qui déferlent dans ma tête.

À l'odeur, je crains le pire. Au goût, je confirme. C'est infect.

Les yeux à demi ouverts, le teint brouillé, j'observe ma colocataire qui produit un bruit de marteau piqueur en touillant sa tisane écorce sauvage et mousse des bois.

Elle a le regard qui pétille et une peau veloutée. Je déteste les gens qui ne boivent pas. Quiconque n'a pas connu de lendemains de cuite ne devrait pas avoir le droit d'exister.

— Tu avais raison, Max, pour hier, je me suis beaucoup amusée. Et il y a plein d'avantages à ne pas boire, tu sais.

— Ah oui, lesquels ?

Hormis le fait de ne pas être assise sur une chaise qui semble se trouver sur un bateau, avec entre les mains une tasse brûlante remplie d'un mélange œuf, avocat, céleri et aspirine. Un détail.

— Le spectacle ! Il n'y a rien de plus drôle que de regarder des filles complètement bourrées chanter à un karaoké.

Je lui lance mon regard bovin le plus vexé, ce qui a pour effet de la faire éclater de rire.

— La prochaine fois, ce sera à moi de t'emmener. Il y a justement bientôt une assemblée générale du Gloups. On va parler de notre imminente action contre une société qui fabrique des céréales pour enfants et qui maltraite des tigres pour leur publicité. Tu verras, ce sera sympa, on va bien s'amuser.

La réponse qui me paraît la plus appropriée à cette proposition de Claudia est : plutôt mourir. Je crois que je préfère encore regarder un reportage sur la reproduction de la libellule sous-titré en pakistanais.

Une sonnerie stridente nous interrompt, j'y laisse une partie de mon audition au passage.

Ce n'est que mon téléphone. Foutue cuite.

Je décroche tout en prenant garde de tenir l'appareil le plus loin possible de mes tympans. Sauf que je n'entends rien, du coup. Il me faut trente secondes pour me résigner à le coller à mon oreille.

— Oui ? murmuré-je dans l'espoir que la personne qui appelle adaptera le son de sa voix à la mienne.

Des sanglots déchirants me répondent, ce qui a pour effet de me dessoûler instantanément. Et pour conséquence secondaire, mais tout aussi appréciable, de me dispenser d'avaler la mixture de Claudia.

— Samya ? C'est toi ?

— Oh, Max, c'est affreux…

C'est bien elle.

— Il est arrivé quelque chose à Inès ?

— Je… Il…

C'est la première fois que je la vois, ou plutôt que je l'entends, dans un état pareil.

— Tu commences à me faire peur, là, Samya. Respire et essaie de m'expliquer.

— Il est parti.

— Comment ça, il est parti ? Gilles ? Mais où ? Il revient quand ?

Quelques secondes s'écoulent, et c'est d'une voix monocorde complètement flippante que Samya me raconte.

— Ce matin, il a descendu la valise qui était rangée au-dessus de notre armoire, il l'a posée sur le lit. Puis il a ouvert les tiroirs de la commode pour en sortir ses vêtements. Il a pris des jeans, des tee-shirts. Même celui que je lui avais offert pour la fête des Pères avec écrit « Si tu t'approches de ma fille, je te pète les genoux ». Il a tout mis dans la valise et elle devait être pleine parce qu'il a eu du mal à la fermer. Et là, il m'a regardée, il avait l'air triste, et il a dit qu'il partait. Que ce n'était pas ma faute. Qu'il était tombé amoureux d'une autre femme. Une actrice qu'il a rencontrée au boulot.

— Il est vendeur de climatiseurs, comment il peut rencontrer une actrice ?

— Oui, c'est ce que je lui ai demandé aussi. Elle avait un tournage pas loin apparemment, et il faisait chaud dans sa loge. Elle est venue au magasin. Et ç'a été le coup de foudre. Et là, il est parti. En tournée promotionnelle avec elle. Et il a pris son tee-shirt de fête des Pères. Nan mais, tu imagines ? Quel connard fait ça ?

— Ben euh…

Elle ne me laisse pas le temps de finir ma phrase d'une incroyable qualité littéraire et éclate de nouveau en sanglots.

— Qu'est-ce que je vais devenir sans lui ?

Chapitre 12

Lorsque je déboule chez Samya, vingt minutes plus tard, avec deux chaussures différentes, pas complètement dessoûlée, donc, je la trouve assise en tailleur sur le canapé. Elle porte une chemise de Gilles qui lui arrive aux genoux du fait de son mètre cinquante-cinq et enfourne mécaniquement toutes les trente secondes dans sa bouche un nounours guimauve en chocolat qu'elle pioche dans un immense saladier posé sur la table basse.

Il ne manque plus que *Love Story* en fond sonore pour causer une inondation lacrymale du salon.

Je m'assois en silence à côté d'elle.

Pas simple de trouver quoi dire quand l'une de vos meilleures amies voit son monde s'écrouler. Samya est dans un tel état qu'elle me fait peur. Elle pleure puis se met à rire quand elle repense à un détail de leur discussion du matin. Elle est en pleine crise d'hystérie. Et le saladier de nounours ne cesse de se vider.

Audrey, que j'ai prévenue en chemin, arrive et s'assoit à son tour. La connaissant, elle est dans une fureur noire et se retient pour ne pas balancer des tas de vacheries vulgaires mais explicites sur Gilles et « sa bite en vadrouille »[1].

— Tu n'avais rien remarqué ? hasardé-je.

Merci, Maxine, pour cette question stupide. Si elle avait vu le coup venir, elle ne serait pas dans un état pareil.

— Pardon, je retire cette question idiote. Ce que je voulais dire, c'est… c'est Gilles, quoi, comment il a pu te faire un truc aussi nul ?

Gilles, c'est le type le plus adorable que je connaisse. Plus adorable qu'un chiot ou même qu'un bébé panda, c'est dire. J'ai encore beaucoup de mal à imaginer qu'il puisse tromper sa femme ou la quitter.

— Il faut croire qu'il cachait bien son jeu ! L'autre jour, il a trouvé que les pommes de terre étaient trop cuites, peut-être que c'était un signe, peut-être que j'aurais dû me méfier.

De nouveau, elle éclate de rire, d'un rire aussi peu naturel qu'amusé. Et elle mange un autre nounours.

— Cet enfoiré t'a dit pour combien de temps il partait ? aboie Audrey. S'il allait au moins appeler pour prendre des nouvelles d'Inès ?

— Je ne sais pas. Peut-être qu'il va m'envoyer des cartes postales, du genre « Ici, il fait super beau, on baise comme des lapins, est-ce qu'Inès a demandé où était son papa ? ».

Au rire succèdent les sanglots. Elle peine à trouver son souffle, tant le chagrin lui comprime les poumons.

Audrey et moi on se regarde, et sans un mot on se place de chaque côté de Samya pour la serrer dans nos

1. Ça manque cruellement d'un smiley singe qui se cache les yeux.

bras. Finalement, il n'y a pas grand-chose à dire, juste être là, pour l'aider à ne pas sombrer.

— Tu sais quoi ? Inès et toi, vous allez venir à l'appartement quelques jours, le temps d'y voir un peu plus clair. Claudia sera d'accord, j'en suis sûre, et tu verras, elle met au point des tas de crèmes naturelles qui sentent divinement bon.

Ce n'est qu'un demi-mensonge… Claudia met bien au point des crèmes naturelles, après tout.

— C'est gentil, Max, mais on va t'encombrer. En plus, Inès vient de démarrer une phase « Et si je fais cette bêtise, que va dire maman ? ».

— Ça m'entraînera. Je veux dire, si un jour j'ai des enfants, ce qui n'est pas gagné vu que je n'ai pas de père sous la main.

Audrey me donne un coup de coude. Faire de l'humour n'est sans doute pas la meilleure idée du moment.

— Allez, viens, Samya, il ne faut pas que tu restes seule. Je te promets que je te tiendrai les cheveux quand tu vomiras toute cette guimauve au chocolat que tu viens d'avaler.

Elle stoppe son élan, repose dans le saladier le nounours qu'elle tenait puis nous regarde alternativement, avec sur le visage une douleur que je ne lui ai jamais vue.

— Il va revenir, les filles, hein ? Il va réaliser qu'il fait une énorme connerie ? Tout va s'arranger ?

Dans le regard d'Audrey, je devine qu'elle a déjà une petite idée du cadeau de bienvenue qu'elle lui réservera : probablement lui enserrer les testicules avec du fil de fer barbelé pour lui passer l'envie de recommencer. Tout en pondération et en délicatesse, à son image.

Cette fois-ci, je ne suis pas loin de la rejoindre sur le terrain du supplice.

Mais c'est en chœur que nous répondons :

— Évidemment, tout va s'arranger !

Octobre

Chapitre 13

Je ne connais pas la personne qui a inventé l'anti-cernes, mais je tiens officiellement à lui adresser mes remerciements les plus sincères. Parce que l'anticernes me sauve chaque matin lorsque je me prépare. Il me permet de quitter l'apparence d'un mort-vivant pour retrouver celle d'un humain.

Les dernières nuits ont été pour le moins chaotiques et elles m'ont appris : petit 1, qu'une femme amoureuse que son mari quitte pour une actrice, ça a besoin de parler beaucoup et surtout d'échafauder des tas de plans de vengeance et, petit 2, que sous le regard angélique d'une enfant de quatre ans peut se cacher un être maléfique, comme une sorte de croisement entre le Petit Chaperon rouge et Voldemort.

Le sol de l'appartement est désormais jonché, outre des affaires de Claudia, de poupées, Playmobil chauves et autres babioles qui ont le chic pour se rendre invisibles mais se révèlent terriblement douloureuses quand on pose le pied dessus par inadvertance.

Je suis donc désormais championne olympique d'une toute nouvelle discipline, celle du cri silencieux. Parce que, évidemment, une fois sur deux, il ne faut pas réveiller la belle endormie quand la rencontre entre un Playmobil chauve et la plante de mes pieds a lieu.

Pourquoi Inès enlève-t-elle systématiquement le scalp de ses Playmobil ? Ne me le demandez pas, je n'en ai aucune idée, malgré mes tentatives pour comprendre. En plus, sans leurs cheveux, ils sont flippants, je trouve.

Chaque jour qui passe, le regard de Darcy se fait de plus en plus suppliant. La pauvre bête subit les assauts de Voldemort en jupe à fleurs : des barrettes sur les oreilles, un serre-tête sur le museau et, le pire du pire, des poupées bien installées dans son panier. « Chuuut toutou, les bébés font dodo », ordonne Inès à ma chienne lorsque celle-ci émet un jappement désapprobateur en découvrant son lit occupé par des intruses. À tel point que je mets le téléphone hors de sa portée, de peur qu'elle ne parvienne à aboyer sa détresse canine au standard du Gloups. Il ne manquerait plus que Claudia utilise de nouveau sa colle végétale pour s'allonger sur le sol de notre salon.

C'est le chaos. Cependant, je dois me rendre à l'évidence, j'adore cette gamine. Elle me fait mourir de rire avec ses reparties improbables qu'elle énonce le plus sérieusement du monde.

Je l'écouterais des heures lire des histoires à ses poupées : « C'est l'histoire d'une princesse. Et tout d'un seul coup, la princesse, elle est perdue dans la forêt. Et tout d'un seul coup, il y a le prince qui arrive. Voilà, c'est fini les bébés, maintenant, faut faire dodo. »

Si seulement j'avais commandé des lasagnes… Peut-être qu'en ce moment, Germain et moi, on flânerait main dans la main devant des boutiques pour bébés à imaginer nos futurs enfants. En premier, une petite fille adorable avec de grands yeux pleins de curiosité, bleus évidemment, qui rirait tout le temps et nous demanderait…

— Tatie Mascine ?

— Oui, Inès ?

— Tu peux venir m'essuyer, j'ai fait un gros caca !

Chapitre 14

Ce soir est un grand soir. Ce soir, c'est la première de mon atelier d'écriture créative pour lycéens.

Entre deux cuisantes défaites au Memory – comment une enfant aussi petite peut-elle se souvenir d'autant de cartes à la fois ? –, j'ai réussi à avancer sur le projet.

J'ai déterminé plusieurs thématiques de travail. De quoi tenir jusqu'aux vacances de Noël.

Ce soir, nous aborderons les chansons d'amour, ou comment déclarer sa flamme à quelqu'un en trois couplets et un refrain.

En tant que professeure de français, mais surtout bonne chanteuse de karaoké, j'ai révisé mes classiques : *Je t'aime* de Lara Fabian, *Que je t'aime* de Johnny Hallyday et *Pour que tu m'aimes encore* de Céline Dion.

Pour me mettre dans l'ambiance, j'ai fait quelques vocalises dans l'appartement, juste comme ça, pendant quoi, trois ou quatre heures tout au plus. Sans interruption.

Darcy est à une patte de réclamer du Prozac.

Samya, si elle valide l'idée des chansons d'amour, a sournoisement tenté d'influencer ma playlist en ajoutant *Ne me quitte pas* de Jacques Brel, et *Je suis malade* de Serge Lama.

Note à moi-même pour l'avenir : ne jamais emmener une amie dépressive dans une soirée karaoké, au risque de voir le public tenter un suicide collectif à coups de parapluies pour verres à cocktail.

J'arrive un quart d'heure en avance dans la salle qu'Yliès a aménagée pour les activités extrascolaires. Contre toute attente, je suis impatiente. J'ai sélectionné quelques morceaux sur mon ordinateur portable pour créer une ambiance musicale en accord avec le thème du soir. J'installe les feuilles sur les tables. Tout est prêt. Il ne manque que les élèves.

— Il était marqué « à 19 heures » sur le tableau d'affichage ; mais plus personne n'est ponctuel, grommelé-je vingt minutes plus tard. De nos jours, c'est ringard d'être à l'heure.

Pour faire venir les élèves, je choisis une chanson. La musique, c'est sûr, va les attirer.

« Mon enfant nu sur les galets, le vent dans tes cheveux défaits, comme un printemps sur mon trajet, un diamant tombé d'un coffret…

Quoi que tu fasses, l'amour est partout où tu regardes… »

Pour le moment, il n'y a rien là où je regarde : du vide, du vide et rien que du vide. Ah, et une fissure dans le mur, aussi. Ce lycée tombe en ruine.

« L'amour, comme s'il en pleuvait, nu sur les galets… »

Je ne sais pas s'il pleut de l'amour, mais il pleut de l'ennui.

Pourtant, l'atelier est bien annoncé sur le tableau d'affichage dans le hall du lycée. Je suis allée vérifier. Trois fois. Parce que les deux premières fois, je n'étais pas sûre d'avoir bien vu.

Il est 19 h 45 lorsque l'homme chargé de l'entretien des locaux me demande si j'en ai encore pour longtemps. Je lui propose de faire une petite pause et d'écrire une chanson d'amour. Il me dit, non pas que je suis belle, mais que l'amour, ce ne sont que des conneries de bonne femme, que ce n'est pas une chanson d'amour qui fera revenir la sienne qui est partie avec le banquier l'année dernière.

Il s'appelle Henri, et si l'autre voudrait bien réussir sa vie, lui a des poils dans les oreilles. Il me raconte depuis quinze minutes ses déboires conjugaux et, moi, je ne vois que ça, les poils qui sortent de ses oreilles.

Peut-être aussi que c'est pour ça que sa femme est partie ? Parce que les poils qui sortent des oreilles tous les soirs au dîner, pendant quinze ans…

Si on tire sur les poils, il se passe quoi ? Est-ce que ça lui ouvre la bouche ?

Peu inspiré par ma proposition d'écriture de chanson d'amour, Henri est finalement retourné à son nettoyage.

Il me manque. Même ses poils. Non, quand même, pas à ce point. Je mets une autre chanson.

« Depuis que je suis loin de toi, je suis comme loin de moi, je pense à toi tout baaaaaas…

Il était une foiiiiiiiiiis, toi et moiiiiiiiiii, n'oublie jamaaaaaaais çaaaaaaaaa… »

Quel chef-d'œuvre, quand même ! Les élèves ne savent pas ce qu'ils perdent.

Bon, retournons à ma tentative d'écriture de chanson d'amour. Qu'est-ce qui pourrait rimer avec courbure ?

« J'aime ton dos et sa courbure, ô toi qui agis sur mon cœur comme une égratignure. » Ça t'en bouche un coin, Francis Cabrel, hein ?!

Une heure quarante-cinq de retard, c'est un très très gros quart d'heure normand.

À 21 heures, je me rends à l'évidence : personne ne viendra.

Je ferme la salle et dans ma tête résonne « Ne me quitte pas, ne me quitte pas, ne me quiiiiiitte pas… ».

C'est Samya qui avait raison.

— Alors ? me demande Claudia une fois que je suis rentrée. C'était bien, ton truc ?

Elle est assise par terre, entourée d'une montagne de pelotes de laine.

— Personne n'est venu. Ma seule distraction a été de bavarder avec Henri, un homme avec des poils dans les oreilles, dont la femme est partie avec un banquier.

— Chouette soirée !

— À qui le dis-tu ! Et toi, qu'est-ce que tu fais ? je lui demande en m'affalant sur le canapé.

Aussitôt rejointe par ma chienne qui, visiblement, attendait avec impatience de me labourer les côtes de ses pattes.

— Je nous tricote des couvertures pour l'hiver. Avec de la laine naturelle provenant d'un élevage respectueux des animaux. On doit se débarrasser de nos couettes.

— Comme tu voudras.

Le jour tant redouté est arrivé, je n'ai même plus la force de batailler avec Claudia. Les élèves auront eu raison de ma joie de vivre.

— Tata Mascine ? me demande Inès en sortant de la salle de bains.

Précision d'importance : elle m'interpelle d'une toute petite voix, cela ne me dit rien qui vaille.

— Oui, ma puce ?

— Sans faire exprès, en prenant mon bain, j'ai tout mouillé un de tes sacs. Pardon, tata.

— Mouillé l'un de mes sacs ?

— Oui, c'était le bateau pour les Playmobil.

Les élèves, et les enfants aussi, donc.

CHAPITRE 15

Comme ça n'a pas marché avec Germain, ma sœur a repris ses démarches pour tenter de me caser avec quelqu'un. Sa technique favorite, organiser un dîner. J'ai eu droit aux voisins, aux amis des voisins, aux collègues de boulot de mon beau-frère, aux amis des collègues. Ne manquent plus que les voisins des amis des collègues, et on aura fait le tour. Je suis un cas désespéré, il faut croire.

Pour ce dîner, elle a décidé d'innover : pour la première fois, elle a convié un de ses patients. Un type super sympa, m'a-t-elle dit la semaine dernière alors que j'étais installée sur le fauteuil de son cabinet pour notre séance bimensuelle de papotage dentaire.

Je suis sceptique. Les types que je croise dans la salle d'attente quand je vais la voir ne sont pas vraiment à mon goût. Mais bon, elle ne doit pas avoir que des patients de soixante-quinze ans, pantalons en velours et mocassins à glands.

Je me suis faite jolie. Sait-on jamais, si elle compte dans sa patientèle un mélange de Brad Pitt et Robert

Downey Jr. Et qu'il soit célibataire. Ce serait dommage de passer à côté.

J'ai choisi une robe cuivrée sans manches à la coupe évasée, parfaite pour dissimuler les imperfections que nos séances de running assidues entre filles ne parviennent pas à gommer, des escarpins crème et une pochette dorée pour aller avec mes boucles d'oreilles, de grosses créoles en or que m'ont offertes Audrey et Samya pour mon anniversaire.

— Tu es superbe, m'accueille ma sœur avec un large sourire.

Elle est divine dans sa robe crayon couleur marron glacé. Avec sa silhouette fine et élancée, elle peut se permettre la coupe près du corps. En ce qui me concerne, je ressemble plus à un Stabilo qu'à un crayon à papier.

Je la suis jusqu'au salon où se trouve déjà son patient, assis sur le canapé, en grande conversation avec mon beau-frère. Lorsqu'il m'aperçoit, il se lève et me sourit. Dents parfaites, je n'en attendais pas moins de la part de Laetitia.

— Bonsoir, moi c'est Georges, enchanté de faire votre connaissance.

— Et moi Maxine, mais tout le monde m'appelle Max.

Georges est plutôt mignon. Cheveux mi-longs, yeux verts. Pas très grand.

— Georges, pour George Clooney ?

Après les dents blanches, vérifier qu'il rit à mes blagues. Julien serait fier de moi.

— Non, pour Georges Brassens, je crois. Question de génération.

Mignon, sourire Colgate, livré avec de l'humour. Je me détends. Ne pas s'emballer, ne pas s'emballer.

Je me demande quand même à quoi ressembleront nos enfants.

— Et que faites-vous dans la vie, Georges ? je l'interroge en m'asseyant à mon tour dans un des fauteuils.

— Assouplisseur de chaussures taille 41.

— Hein ?

— Assouplisseur de chaussures. Les magasins de chaussures font appel à moi pour assouplir les chaussures achetées par leurs clients. Les gens ne veulent plus se faire mal aux pieds de nos jours, alors certaines enseignes ont eu l'idée de créer ce service. Et hop, me voilà. C'est encore un métier de niche.

Tu m'étonnes.

— Et pourquoi taille 41 ?

— Parce que je chausse moi-même du 41. Je sais ce que vous allez me dire, c'est petit pour un homme…

Ce n'est pas ce qui me vient en premier, non…

— … mais dans mon métier c'est bien pratique parce que, du coup, je peux assouplir aussi bien les chaussures des hommes que des femmes.

L'image de nos futurs enfants s'évapore, remplacée par celle de Georges, short à carreaux, mollets poilus et escarpins Louboutin.

Sur le point d'éclater de rire, je suis sauvée par Laetitia qui me demande de la rejoindre dans la cuisine pour l'aider à beurrer les toasts. Je ne me fais pas prier, et c'est une fois seule avec elle, à l'abri des oreilles de l'assouplisseur de chaussures, que je me laisse gagner par mon fou rire.

— Nan, mais tu le fais exprès, Laeti ? Je t'ai fait du mal étant petite, c'est ça ? Tu veux me faire payer un truc ?

Elle aussi est morte de rire, le corps secoué de soubresauts.

— Il m'avait dit qu'il travaillait dans la chaussure, je ne pouvais pas me douter de ça.

— Assouplisseur de chaussures, tu imagines ?! Pourquoi pas renifleur d'aisselles ou testeur de matelas ?

— Ou peseur de crottes de pandas !

— Ça existe ? demandé-je, pliée en deux et en larmes.

— Oui, j'ai vu une émission hier soir sur l'élevage des pandas.

Il nous faut plusieurs minutes pour nous calmer. Heureusement que j'avais opté pour un maquillage léger.

Lorsque nous retournons au salon, avec les plateaux garnis de toasts et de gougères, les hommes commentent l'actualité du moment. Le sujet chaussure semble évacué.

— Et vous, Maxine ? Votre sœur m'a dit que vous étiez professeure de français, c'est ça ?

— Oui, dans un lycée, à Savannah-sur-Seine.

— Ça vous plaît ?

— Ce n'est pas tous les jours évidents d'intéresser des élèves de seconde à la grande littérature, mais disons que je fais de mon mieux.

— Maxine rêvait d'être journaliste, intervient ma sœur.

— Ah oui ? reprend Georges. J'écris moi aussi.

Voilà qui est intéressant et devrait nous permettre d'échanger de manière agréable.

— Vous écrivez ? Des romans ? Des essais ?

L'image de nos enfants potentiels revient en force…

— Non, des blagues pour Carambar.

… pour s'éloigner. Définitivement.

— C'est qui le boss ? demande le savon. La boss à dents, répond le dentifrice[1]. C'est ma dernière blague. J'en suis assez fier, je dois dire, conclut-il dans un rire muet, comme Chandler dans *Friends*.

Je crois que je préférais l'assouplisseur de chaussures, en fait.

1. Ne cherchez pas, celle-ci est copyright…

Chapitre 16

Laetitia m'a présenté bien des types, mais un comme Georges, c'est la première fois. Au volant de ma voiture, je me repasse le film de ce repas, hoquetant de rire. Incapable de m'arrêter, je finis par avoir mal aux côtes.

Ce n'est que sur le parking en bas de mon immeuble que je retrouve mon calme.

Soudain, je pense à Moune. Elle aurait adoré Georges. Un assouplisseur de chaussures, ça aurait fait d'elle une star de son club senior. Elle aurait voulu que je lui raconte cette rencontre dans les moindres détails. Elle m'aurait cuisiné ses fameux pancakes, ceux dont elle conservait jalousement la recette qu'elle aura finalement emportée avec elle.

L'appartement est calme. Claudia est absente. Elle prépare une action coup de poing contre une chaîne de télévision qui, selon elle et le Gloups, abuse de sa position et exploite l'image des animaux sans leur demander leur avis dans une émission avec des agriculteurs célibataires qui cherchent l'amour.

Oui, avec Claudia, le monde sera meilleur pour les animaux, mais il n'y aura plus rien de bien à regarder à la télévision. On ne peut pas tout avoir.

J'aperçois les cheveux d'Inès, dont la respiration est paisible, qui dépassent de la couette. Samya et elle dorment ensemble dans le salon, sur le canapé convertible. J'essaie d'atteindre ma chambre sans faire trop de bruit.

— Alors, cette soirée ? chuchote Samya en se redressant sur un coude.

— Je t'ai réveillée, pardon.

— Je ne dormais pas.

Elle n'a pas besoin de me le dire. Depuis que Gilles est parti, Samya a viré insomniaque. Elle a une tête à faire peur et elle, qui était déjà mince, flotte désormais dans ses jeans. Je voudrais tellement pouvoir faire quelque chose pour elle. Gilles n'a donné aucune nouvelle.

— Je vous raconterai demain, à toi et Audrey. Ça vaut le détour, crois-moi. Je vous autoriserai même à vous moquer. Allez, essaie de dormir un peu. J'ai des copies à corriger.

Après une caresse à Darcy, étendue dans son panier, sur le dos, les pattes en l'air, je m'installe à mon bureau et sors le paquet de copies de ma sacoche. J'ai ramassé aujourd'hui le travail que j'avais demandé à mes élèves, une étude sur le traitement de l'amour en littérature, points communs et différences entre les liaisons sentimentales célèbres sur papier.

C'est sans doute parce qu'ils ont consacré tout leur temps à ce devoir qu'aucun d'entre eux n'a pu venir à la première séance de l'atelier d'écriture. Bien sûr. Ces élèves sont tellement appliqués !

Je commence à lire la première copie.

« … Parmi les grandes histoires d'amour dans la littérature, il y a celle d'Anna et de Christian… »

Tiens, il ne me semblait pas qu'il y avait un Christian dans Anna Karénine.

« … que l'on retrouve dans la trilogie *Cinquante Nuances de Grey…* »

Ah oui, je me disais aussi. La soirée risque d'être longue. Le plus discrètement possible, je retourne dans la cuisine chercher la bouilloire, et un mug. Samya a fini par s'écrouler de fatigue.

Sur le trajet du retour, mon pied évite un Playmobil. Victoire personnelle.

Mais pas le Lego qui m'attend, le fourbe, un peu plus loin.

De nouveau devant mes copies, avec un thé pomme-cannelle brûlant, je me prépare au pire. Et en effet, au milieu de Roméo et Juliette, Tristan et Yseult, je trouve aussi Bella et Edward, Tris et Quatre, en passant par Hermione et Ron.

Peut-être que j'aurais dû préciser « littérature classique ».

Le drame survient à la dixième copie. Quand je l'ouvre pour lire le verso de la première page, je découvre en plein milieu le dessin d'un bonhomme bâton. Une grosse tête, un seul grand bras et deux jambes. Dessiné au feutre violet.

Il est assez simple de savoir qui est l'artiste responsable de cette œuvre, vu que ladite artiste l'a consciencieusement signée. Inès.

C'est vrai qu'il aurait été dommage de ne pas mettre son nom en dessous de ce superbe bonhomme.

Mais tout compte fait, je trouve ça mignon. Attendrie, je souris même pendant quelques secondes avant qu'une goutte de sueur ne perle sur mon front lorsque je regarde du coin de l'œil les autres copies.

Fébrilement, je les ouvre l'une après l'autre et, au fur et à mesure que défilent les bonshommes, les maisons ou encore les escargots, je trouve ça beaucoup moins mignon.

Sans m'énerver, enfin juste un tout petit peu, je les range dans ma sacoche. On verra ça demain avec l'artiste.

Et sa mère.

Il est bientôt 23 h 30, le moment d'aller me coucher et d'écouter la radio. Ça va me détendre.

Je fais le tour de mon lit pour récupérer mon pyjashort quand sur le chemin mon pied rencontre non pas un mais deux Playmobil. Dont un avec une sorte de petit chapeau pointu. Qui l'eût cru, j'en regrette son compagnon chauve !

Mon cri silencieux surpasse tous ceux que j'ai pu pousser jusque-là.

Il est vraiment temps que se termine cette journée marquée par le plan rencontre foireux à la mode Laetitia, les bonshommes bâton, le tout sublimé par la culture littéraire proche de *Voici* de mes élèves. J'en ai ma claque.

CHAPITRE 17

À demi allongée, confortablement calée entre deux oreillers, j'allume donc la radio pour écouter une émission que j'adore et qui me divertit toujours. Ce soir plus que jamais, c'est ce qu'il me faut.

La voix enjouée et dynamique de l'animatrice vient rompre le silence de ma chambre.

— Bonsoir à tous ! Au programme de ce soir, nous parlerons de hasard et de destin avec mon invité, l'écrivain Gilbert Musso qui publie son premier roman au titre énigmatique *Avec des si et des peut-être*. Nous sommes ensemble pour une heure et demie. Installez-vous confortablement, c'est parti pour *En toute intimité*, vous êtes sur Europe 1.

La voix est celle de Justine Julliard, une jeune femme dont j'admire le talent. Journaliste de presse écrite, passionnée de radio, elle a participé il y a quelques années à un concours visant à dénicher les talents radiophoniques de demain et l'a remporté haut la main. À l'époque, j'avais moi aussi voté pour elle.

Il y a quelques mois, avec les filles, nous sommes même allées assister à l'enregistrement de l'une de ses émissions.

Parfois, je me dis que je pourrais être à sa place. Si ce matin-là je ne m'étais pas cassé la cheville en retournant chercher ma carte d'identité oubliée dans un tiroir, si je n'avais pas de ce fait renoncé à passer ce concours d'entrée pour l'école de journalisme, peut-être que moi aussi je ferais de la radio aujourd'hui. Ça m'aurait plu. Beaucoup, même, j'en suis certaine. Peut-être même que j'aurais aussi gagné, comme Justine, un concours de jeunes talents.

— Alors, Gilbert Musso, avant de nous présenter votre tout premier roman, je pense que les auditeurs se demandent si vous êtes le troisième de la fratrie Musso, après Guillaume et Valentin.

— Cousin germain, par alliance, en réalité. La tante de ma mère est la cousine de la belle-sœur de la mère de Guillaume et Valentin.

Je devine le rire dans la voix de Justine Julliard.

— Bon. Parlons plutôt de ce premier roman que vous publiez aujourd'hui aux éditions Michel Afond. D'où vous est venue l'idée de cette histoire ?

— J'étais au volant de ma voiture rue de l'Échiquier à Paris. J'attendais à un feu rouge quand brusquement mon GPS s'est éteint. Avant de rendre l'âme, il indiquait de tourner à droite, mais je me suis demandé ce qu'il se passerait si je tournais à gauche au lieu de suivre son indication. Et, de là, mon esprit a échafaudé tout un scénario lié au fait de tourner à gauche plutôt qu'à droite.

Je ne perds pas une miette de ce que raconte Gilbert Musso-mais-pas-trop.

— Est-ce que les choses qui nous arrivent sont liées au hasard ? Ou est-ce qu'elles nous arriveront de toute façon, quels que soient nos choix ?

— Ce sont d'ailleurs les questions que se pose votre héroïne au début du roman…

— Oui. Elle consacre tellement de temps à se demander ce que serait sa vie en fonction de tel ou tel choix qu'elle finit par passer à côté du présent. Un matin, elle reçoit la visite d'une vieille femme qui lui propose un marché : vivre pendant un mois la vie qui aurait été la sienne si elle avait pris une autre décision par le passé.

— Fascinant…

C'est le mot, Justine, c'est le mot. J'en ai des frissons.

— Imaginez qu'on vous offre la possibilité de faire bifurquer la ligne du temps… poursuit Gilbert, imperturbable

— Comme Marty McFly ?

— Exactement ! Que l'on puisse savoir ce que serait notre vie dans cette ligne parallèle du temps. C'est ce que va vivre mon héroïne.

— En espérant que ça se passe mieux que pour Marty ! plaisante Justine. Nous marquons une petite pause et nous nous retrouvons d'ici quelques minutes avec mon invité Gilbert Musso pour parler de son premier roman *Avec des si et des peut-être*.

Alors que les spots publicitaires se succèdent, je ne peux m'empêcher de rassembler mes propres si et peut-être. En un instant, ils prennent tout l'espace. Ce n'est qu'un roman, écrit par un Musso, qui n'en a que vaguement le nom, mais quand même. Ce serait juste génial de pouvoir vivre un truc comme ça.

Je scrute même la porte de ma chambre fermée dans l'espoir de voir apparaître la vieille femme dont il parle dans le roman. Je la fixe tellement que je crois voir la poignée s'abaisser.

Je suis interrompue dans mon délire par Darcy qui saute sur mon lit. Et me lèche la main.

— Tu imagines ça, Darcy ? Si un truc pareil pouvait se produire ? Non, bien sûr, tu es un chien. Tu te fiches de savoir ce que demain aurait pu être comme de ta dernière gamelle de croquettes.

La voix de Justine Julliard résonne de nouveau, je m'allonge complètement pour écouter la suite de l'émission et caresse les oreilles de ma chienne.

Avec des si et des peut-être…

En voilà une bonne idée de roman.

J'aurais aimé l'avoir !

CHAPITRE 18

Je suis réveillée par les rayons du soleil qui passent à travers les rideaux de la chambre. Je crois que je n'ai pas aussi bien dormi depuis des années. Ça fait un bien fou.

Je remonte la couette sous mon menton, pour profiter encore un peu de sa douceur. On dirait que le coton est devenu doux comme de la flanelle.

Profiter encore de ces quelques instants d'agréable torpeur avant d'ouvrir les yeux et d'attaquer la journée. Il me reste des copies à corriger et je dois dire deux mots à une certaine petite fille de quatre ans, artiste peintre de son état.

Parce qu'il faut bien se lever, je pose un pied sur le sol, puis le deuxième, je m'étire, les bras tendus au dessus de la tête, levant mes mains aux ongles impeccablement manucurés vers le ciel, ce qui a pour effet de remonter ma nuisette sur le haut de mes cuisses.

À moitié réveillée, les yeux pas totalement ouverts, je m'approche de la porte.

— Darcy ? Où es-tu, ma chienne ? j'appelle en bâillant.

Claudia a dû la sortir, je dormais tellement bien que je n'ai rien entendu.

Mes yeux me réclament un bon café, deux, même. Au radar, je traverse le salon, contourne l'immense canapé jaune en cuir puis me dirige vers la cuisine laquée rouge avec son îlot central. J'ouvre un placard, attrape un mug, place une capsule dans la machine à expresso puis m'assois sur un des tabourets, mon breuvage fumant entre les mains. J'en avale une gorgée, il est brûlant.

Il est chouette, ce canapé, pensé-je tout en soufflant sur mon café pour qu'il refroidisse. Jolie couleur.

Le bruit de la tasse qui se brise sur le sol étouffe mon cri.

Comment ça, un canapé jaune ?! Je n'ai pas de canapé jaune. Encore moins en cuir ! Si jamais il me prenait l'envie de vouloir un canapé en cuir, il me faudrait passer sur le corps de Claudia et de tout le Gloups par la même occasion.

Les yeux maintenant grands ouverts, un peu affolée, je regarde partout, je me tourne et me retourne. L'endroit est superbe, spacieux, lumineux avec ses immenses baies vitrées, ses meubles haut de gamme disposés avec goût, ses plantes. Superbe, c'est ça. Mais absolument inconnu.

Pourtant, il y a cinq minutes, je me suis dirigée vers la cuisine sans hésitation. J'ai même ouvert le bon placard. Comme si je savais parfaitement où se trouvait chaque chose, alors que je serais bien incapable de dire où je suis.

Tout doucement, je fais quelques pas sur le parquet en chêne grisé, en évitant les débris du mug qui jonchent le sol.

— Claudia ? Samya ? Vous êtes là ? je demande à voix haute.

Rien.

— Darcy ? Viens, ma choupette, viens.

Double rien.

Manifestement, je suis encore endormie, et je suis en train de rêver. Oui, ça doit être ça, ça ne peut être que ça. Je me pince fortement l'avant-bras, mais le décor ne change pas. D'un pas plus rapide, je retourne vers la chambre, tout en continuant à me pincer, de plus en plus fort à mesure que la panique me gagne.

La chambre non plus ne ressemble pas à celle que je connais et dans laquelle je me suis endormie hier soir.

Elle est grande, tellement grande qu'elle pourrait contenir l'intégralité de mon appartement. Parquet en bois clair, meubles laqués blancs, des rideaux gris et jaune, un portant avec quelques vêtements posés dessus, un lit king size avec une housse de couette blanche à motif ananas jaunes, des coussins, beaucoup de coussins.

— Il y a quelqu'un ? tenté-je de nouveau.

Pour toute réponse, il n'y a que le bruit de mon souffle saccadé. Là, je commence à avoir vraiment peur. J'essaie de me remémorer les derniers événements dont je me souviens.

J'étais dans ma chambre, la vraie, je corrigeais des copies. Bella et Edward avaient remplacé Roméo et Juliette. Puis les dessins d'Inès sur les copies. Mon pied sur deux Playmobil. J'ai allumé la radio pour écouter *En toute intimité*, l'émission de Justine Julliard. L'invité, c'était ce vaguement Musso qui venait parler de son premier roman.

J'ai beau fouiller dans ma mémoire, je ne trouve rien qui explique pourquoi je me suis réveillée dans cet appartement.

— Si c'est une blague, Claudia, ça y est tu peux arrêter. Ha ha ha, j'ai ri, c'était drôle.

Aucun bruit. Pas même le début d'une miette de son qui pourrait laisser penser à un bruit.

J'entre dans la chambre, en regardant autour de moi.

— Pitié, qui que vous soyez, ne me tuez pas, je ferai tout ce que vous voulez.

J'ai dû être enlevée, hypothèse un rien dramatique, je vous l'accorde. Même si le décor fait plus penser à une suite d'hôtel luxueuse qu'à une geôle lugubre et froide.

J'aperçois mon reflet dans un miroir posé le long du mur et ne peux réprimer un nouveau cri de surprise que je tente d'étouffer avec ma main.

Celle que je découvre dans le miroir, c'est moi. Sans être moi.

Je porte une nuisette de satin bleu. Un tissu qu'habituellement j'évite parce qu'il reste à moitié entortillé quand on veut changer de position. Indéniablement, je suis plus mince. Mes cheveux sont longs, on dirait que je sors de chez le coiffeur. Et mes ongles… Impeccables, avec leur french manucure.

Je nage en plein délire, ce n'est pas possible. J'ai dû manger un plat bio-solidaire-stop-au-gâchis made in Claudia.

Affolée, je retourne dans le salon, les jambes flageolantes et les mains moites. Je fais le tour de la pièce, traquant je ne sais trop quoi, un indice, une caméra qui serait planquée quelque part. Ça doit être une blague. De mauvais goût, mais une blague.

Mon regard se focalise sur des cadres semblant contenir des photos. Je m'approche, m'attendant à chaque instant à entendre le « Bouh ! » retentissant de quelqu'un qui serait planqué quelque part.

Il y a une photo de mariage. La mariée porte l'une des plus belles robes qu'il m'ait été donné de voir. Un bustier cœur, une taille marquée par un long ruban rose poudré, de larges jupons superposés qui tombent jusqu'au sol. Je regarde de plus près avant de m'exclamer :

— Mais c'est moi !

Je me rapproche jusqu'à coller mon nez sur la photo.

— Nan, mais c'est impossible !

Ça ne peut pas être moi. Il est possible que j'aie oublié les événements de la veille et la cuite mémorable qui a dû me conduire jusque dans cet appartement, mais pas mon propre mariage.

Je tourne la tête vers celui qui semble être le jeune marié, mon mari donc. Grand, brun, les yeux gris. Costume bleu foncé parfaitement coupé, avec de fines rayures. C'est la première fois que je le vois, pourtant je sens très distinctement une douce chaleur se répandre dans tout mon corps.

À la manière dont nous nous mangeons du regard, nous semblons très amoureux. Pourtant, je ne sais absolument pas qui est cet homme. Je ne crois pas l'avoir croisé un jour, ni ici ni ailleurs.

Il y a d'autres photos accrochées au mur. Avec l'inconnu au costume à rayures, nous sommes assis sur deux transats, de dos, au milieu d'un lagon bleu turquoise.

Je le découvre également endormi dans un hamac, torse nu – joli torse en passant – avec des écouteurs dans les oreilles.

Et puis moi, dans une robe de soirée noire près du corps, tout sourire, tenant dans les mains une sorte de coupe ou de trophée, je ne saurais dire. J'ai les yeux qui brillent. Et, oh mon Dieu, sur cette photo ils sont bleus… Moi qui ai toujours rêvé d'avoir des yeux bleus comme Laetitia.

Pendant plusieurs minutes, j'arpente l'appartement, je traverse toutes les pièces, j'ouvre tous les placards, une fois, deux fois, j'appelle en vain tous les gens que je connais à voix haute, de mes meilleures amies à ceux que je n'ai fait que croiser. La peur succède à la panique, puis les larmes me montent aux yeux.

Je ne sais pas où je suis, je suis moi mais en même temps pas complètement moi ; je suis visiblement mariée à un type que je ne connais même pas, mais que mon corps semble apprécier… C'est comme si mon esprit avait intégré un nouveau corps sans que ce dernier se soit rendu compte de quoi que ce soit. Cela expliquerait que, encore à moitié endormie, je me sois dirigée directement vers la cuisine. Mais cela n'explique pas ce qui se passe dans ce foutu endroit !

N'osant même pas m'asseoir sur le canapé, je me laisse tomber par terre au milieu du salon et ferme les yeux.

C'est alors, après quelques secondes, que la voix satinée de Justine Julliard résonne dans ma tête.

« Imaginez qu'on vous offre la possibilité de faire bifurquer la ligne du temps… »

Non, ça ne peut pas…

« Imaginez qu'on ait la possibilité de savoir ce que serait notre vie si l'on avait fait un autre choix. »

L'émission de radio d'hier… L'auteur invité… Mon réveil dans cet appartement… C'est impossible.

C'est un roman, un petit roman de rien du tout, écrit par un type dont la mère est la tante de la belle-sœur de la cousine germaine du beau-frère de la mère de Guillaume Musso, ou un truc du genre.

Comme je le fais chaque fois que je suis angoissée, je porte ma main sur ma cicatrice, celle de l'accident, celle qui me rappelle Moune, pour constater qu'elle non plus n'est plus là.

Chapitre 19

La difficulté quand on est dans un appartement que l'on ne connaît pas et qui pourtant semble être votre appartement, c'est de trouver ses affaires. Il y a déjà plusieurs minutes que je suis à la recherche de mon téléphone portable. En principe, je le mets dans mon sac à main, pas de raison que je sois à ce point différente pour le ranger ailleurs. Facile, donc, me direz-vous. Encore faudrait-il que je déniche ledit sac.

Apparemment, rien ne traîne ici. Très différent donc du fouillis dans lequel je vis avec Claudia, ce qui n'est pas pour déplaire à la plante de mes pieds. Sauf que je retrouve toujours tout dans notre bazar, je m'y suis habituée. Chaque fois que je veux sortir, il me suffit de soulever une ou deux choses, et hop je tombe sur mes clés, mon écharpe, ou la dernière relance de la facture d'eau.

Là, je ne trouve rien. J'en viens même à me demander si j'ai des affaires. Quel intérêt d'avoir un si grand espace pour ne pas le remplir de tout un tas de babioles aussi inutiles qu'indispensables ?

Après vingt minutes de recherches et autant de placards ouverts, je trouve enfin un sac à main. Au vu de la décoration, je m'attendais à un magnifique sac qui m'aurait, au moins pendant quelques instants, fait apprécier cette histoire surréaliste et vraiment flippante, mais non. C'est un simple sac à main noir. Jolie forme, joli cuir, mais rien d'exceptionnel. Tout ça pour ça !

Un téléphone s'y trouve bien. Ça doit être le mien. Je cherche le numéro d'Audrey dans le répertoire, mais sans résultat.

Dans cette vie, manifestement, je n'enregistre pas les numéros de mes amies. Fort heureusement, je me souviens de celui d'Audrey. Elle décroche au bout de la deuxième sonnerie.

— Oui ?

— Audrey, c'est moi. Écoute, tu vas me prendre pour une folle, mais je viens de me réveiller dans un splendide appartement qui semble être à moi, rapport aux photos sur les murs, mais dont je ne me souviens absolument pas. Je suis mariée, semble-t-il, avec un type plutôt craquant, mais ne me demande pas son prénom, je n'en ai aucune idée. Ah, et je suis plus mince, aussi, avec une coupe de cheveux différente. Je me suis couchée hier soir dans mon appartement, enfin mon appartement, un autre appartement que celui dans lequel je me suis réveillée ce matin. Mais un appartement que je croyais être à moi. Tu me suis ?

Je ne la laisse pas m'interrompre et reprends.

— J'ai corrigé quelques copies, j'ai écouté un truc à la radio, je me suis endormie, et bam ! ce matin, la quatrième dimension, tout ça à cause de Marty McFly. La ligne du temps a bifurqué. Sauf que je ne sais pas du tout quand elle a bifurqué. Si ça se trouve, je ne m'appelle même plus Maxine, qui sait. Bref, c'est l'horreur et je ne comprends rien à ce qui se passe. Il faut que tu m'aides. Que tu me dises qui je suis ! Oui, ça paraît dingue, je sais, mais là, crois-moi, je nage en plein délire.

Pas de réponse.

— Audrey, tu es là ? Dis quelque chose ! Je suis en train de virer hystérique.

— C'est quoi, ce plan ? C'est une de vos nouvelles méthodes, c'est ça ?

— Pardon ?

C'est pourtant bien la voix d'Audrey à l'autre bout du fil. Je ne me suis pas trompée de numéro.

— C'est une approche pour recruter dans votre secte ? Nan, parce que j'en ai ma claque de tous ces appels, chaque jour. Mais j'avoue que c'est la première fois qu'on me monte un bobard pareil. Ou alors c'est pour me vendre une pompe à chaleur ?

— Mais qu'est-ce que tu racontes, Audrey ? On s'en fout, des pompes à chaleur ! Je te jure, ce n'est pas le moment de plaisanter. C'est moi, Maxine !

— Je suis désolée, je ne connais personne qui s'appelle Maxine.

— Mais Audrey, je…

La tonalité du téléphone interrompt ma dernière phrase. Audrey a raccroché.

— C'est un cauchemar ! Je vais me réveiller, je dois me réveiller, m'écrié-je.

Précipitamment, je retourne dans la chambre, m'allonge sur le lit et m'enfouis sous la couette. Je ferme les yeux et psalmodie telle une formule magique : je vais me réveiller, je vais me réveiller.

J'attends ainsi quelques minutes, le temps que le souvenir désagréable de ma conversation avec Audrey s'efface un peu et que les battements de mon cœur reprennent un rythme normal.

Lentement, j'ouvre les yeux et glisse la tête hors de la couette. Même décor superbe. Toujours aussi inconnu.

De rage, de panique, de désespoir, je tape des pieds sur le matelas, comme une gamine qui ferait une colère. De plus en plus vite, de plus en plus fort. Et je me mets à crier.

J'entends à peine la sonnerie du téléphone qui, avec ma colère, s'est retrouvé enfoui sous la couette. Quelqu'un m'appelle. C'est Audrey, forcément. Pour me dire que c'était une blague, qu'elle s'est bien marrée à me faire croire qu'elle ne me connaissait pas. Ensuite, on ira manger un truc avec Samya. Elles m'aideront à y voir plus clair et à sortir de cette galère.

Aussi vite que je le peux, priant pour que la messagerie ne se déclenche pas, je plonge sous la couverture pour attraper le téléphone.

— Allô, Audrey ?

— Audrey ? Audrey qui ? Non, c'est moi, Emma. Ça fait vingt minutes qu'on t'attend pour la réunion. Mais qu'est-ce que tu fiches ? Tu sais pourtant que la patience n'est pas la qualité première du boss. J'espère que tu as une bonne raison ! En plus, les chiffres d'hier sont bof, même si tout le monde t'a trouvée excellente. Il faut croire que la littérature attire moins les auditeurs que l'histoire du chien à trois pattes qui a parcouru des kilomètres pour retrouver sa maîtresse.

— Euh… Vous êtes qui ?

CHAPITRE 20

— Comment ça, je suis qui ? C'est moi, Emma ! Ton assistante. La fille qui passe à peu près vingt heures sur vingt-quatre à bosser pour toi depuis quatre ans. Tu plaisantes ou quoi ?! Si c'est le cas, franchement, c'est moyennement drôle, Maxine…

La première information est rassurante, je m'appelle bien Maxine. La seconde est plus déstabilisante : j'ai une assistante. De quoi ? Je n'en ai absolument aucune idée. Maternelle ou sociale, elle a en tout cas une voix grave qui la rend sympathique.

On avance malgré tout. À l'autre bout de la ligne, Emma, que j'imagine désormais rousse avec un chignon et des petites lunettes rondes, n'a pas cessé son monologue.

— … Jeff est à cran, les audiences de rentrée sont tombées ce matin et RTL fait mieux que nous sur le créneau 21 h 30-minuit. Il a déjà rongé tous les ongles de sa main droite. Et tu sais ce que ça veut dire !

— Jeff ? Les audiences ? Je suis désolée, je sais que ça va vous paraître bizarre, mais je n'ai aucune idée de ce dont vous me parlez.

— Comment ça, aucune idée ? Tu es devenue amnésique ou quoi ?

L'amnésie, mais oui, en voilà une bonne idée. Parce que si je lui sors le discours de la ligne du temps qui bifurque, je vais atterrir direct en service psychiatrique pour visionnite aiguë de *Retour vers le futur*. Cette fille travaille avec moi, enfin mon moi parallèle : elle va donc pouvoir me dire qui je suis, et peut-être que toute cette histoire trouvera une explication et un sens.

Amnésie, amnésie, réfléchis, Maxine ! Qu'est-ce que je pourrais bien inventer qui permette de justifier que je ne me souvienne de rien ?

— Je crois que j'ai dû faire une chute dans la douche ce matin…

Oui, bonne idée, la chute.

— Comment ça, une chute ? Tu es blessée ?

— Je ne crois pas. Lorsque j'ai ouvert les yeux il y a une heure, j'étais allongée sur le sol de salle de bains. Je ne me souviens de rien avant, c'est le trou noir.

— Mais tu es chez toi ? Je veux dire, tu sais où tu es ? me demande Emma dont la voix a grimpé d'une octave.

— Oui, je suis chez moi. Enfin, je crois, au vu des photos qui sont sur les murs.

— Alors ne bouge pas, je suis là aussi vite que possible, conclut-elle en raccrochant.

En m'asseyant sur le canapé pour attendre cette Emma que je ne connais pas, je me demande quel âge elle peut bien avoir. Trente ? Quarante ? Finalement, je ne suis plus certaine qu'elle soit rousse. Elle n'a pas une voix de rousse. Elle est sans doute blonde ou châtaine. En fait, je n'en ai absolument aucune idée.

J'essaie d'ordonner les quelques informations qu'elle m'a fournies au cours de la conversation. Elle m'a parlé d'audience et de RTL qui faisait mieux que nous. Je dois donc travailler à la radio.

— Très bonne déduction, mon cher Watson ! me félicité-je à voix haute.

À quel poste, ça, c'est une autre histoire. Scotland Yard, c'est pas pour demain.

Je suis assoupie sur le canapé lorsque j'entends enfin la sonnerie de la porte d'entrée. Je regarde mon téléphone : deux heures ont passé. Si ça c'est aussi vite que possible, qu'est-ce que ça doit être quand elle prend son temps ! Des cheveux doivent avoir le temps de pousser sur la tête de Bruce Willis.

— Ah, merci mon Dieu, tu vas bien ! me dit-elle en entrant comme une tornade dans l'appartement, après que je lui ai ouvert la porte.

Elle pose son immense sac-cabas sur le canapé puis me serre rapidement dans ses bras. Devant mon air ahuri, elle se calme un peu.

— Tu ne me reconnais pas, c'est ça ?

La femme en face de moi est grande, très mince, brune (je le savais ! Ou pas…) aux cheveux courts, habillée avec goût d'une chemise blanche, d'un jean foncé, d'une grosse ceinture en velours marron. Elle porte des bottines de couleur camel en cuir à hauts talons. Je ne l'ai jamais vue. J'en suis certaine.

— Je suis vraiment désolée…

— Mais c'est terrible, Maxine ! Comment on va faire pour les émissions ? Ça ne pouvait pas plus mal tomber. Tu te souviens de trucs quand même, ou tu as tout oublié ?

Évidemment, je ne peux pas lui dire que je me souviens parfaitement de ma vie mais que ce n'est pas la vie dont elle parle, elle.

— Je… Je ne sais même pas comment s'appelle ce type, je lui réponds en désignant ma photo de mariage.

— Jasper ? Tu as oublié le prénom de ton mari ?

— Son prénom, et même que j'étais mariée, aussi.

— Alors là, c'est grave.

— Pourquoi ?

— Parce que, en dehors de ton boulot, il est celui qui compte le plus. Tu en es dingue. Comment peux-tu l'avoir oublié ?!

Je prends quelques secondes pour prononcer mentalement le prénom de celui dont je partage la vie depuis seulement trois heures. Jasper. Drôle de prénom…

— Tu n'as rien dit à personne ? je l'interroge.

— Non, tu voulais que je garde ça pour moi, alors je n'ai rien dit. Même si je ne comprends pas pourquoi.

— Je ne veux inquiéter personne. Si ça se trouve c'est passager, et d'ici quelques heures, tout sera rentré dans l'ordre.

— J'espère bien ! J'ai dit à Jeff que tu étais clouée au lit avec quarante de fièvre.

— Ça devrait nous laisser un peu de temps.

— Oui, jusqu'à demain matin 8 heures.

— Ah… si peu ?

— C'est le mieux que j'aie pu obtenir sans lui donner d'explications. Voilà ce que je te propose, on va aller faire quelques examens pour vérifier tout ça.

Peut-être qu'avec des médicaments, ou je sais pas, moi, des électrochocs, la mémoire te reviendra.

Je me dirige vers l'entrée et l'entends toussoter derrière moi.

— Maxine !

— Oui ?

— Tu es en nuisette.

Je baisse les yeux pour réaliser que, en effet, je ne me suis pas encore habillée.

— C'est vrai que tu as l'air complètement à l'ouest. C'est flippant, je te jure.

Encore plus que tu ne le crois, Emma. Encore plus. Alors que je me dirige vers ma chambre pour y chercher des vêtements, je m'arrête et me retourne vers Emma. Quelque chose me chiffonne. Oui, en plus de tout le reste.

— Dis, tu m'appelles toujours Maxine ? je demande à Emma.

— Euh… Oui, pourquoi ? C'est comme ça que tu t'appelles, alors…

— Oui, ça je sais. Étrangement, mon prénom n'a pas disparu de ma mémoire. Mais tu ne m'appelles jamais Max ?

— Non. Tu détestes ce diminutif.

Bizarre. Tout le monde m'appelle Max depuis des années. Pourquoi tout d'un coup il en irait autrement ? Est-ce que tout est vraiment différent, ici ?

CHAPITRE 21

Dans le bureau du neurologue, qui à ma grande déception ne ressemble pas du tout au docteur Shepherd de *Grey's Anatomy*, j'attends les résultats des examens. Emma a été d'une redoutable efficacité : deux coups de fil dans le taxi, et nous avions les rendez-vous nécessaires. J'ai presque envie de lui demander un rendez-vous d'ophtalmo, rien que pour voir ce que ça fait de ne pas devoir attendre un an.

— Alors, madame Varram, savez-vous en quelle année nous sommes ?

Je ne sursaute pas lorsqu'il prononce mon nom de famille, j'ai entendu Emma le dire tout à l'heure au téléphone. M. et Mme Varram. Maxine Varram, ça sonne plutôt bien. Mieux que Maxine Pallaud.

— Madame Varram ?

— Euh oui, pardon, je suis un peu perturbée, vous disiez ?

— Pouvez-vous me dire en quelle année nous sommes ?

— 2017.

— Très bien. Et pouvez-vous me dire comment s'appelle le président de la République ?

— Emmanuel Macron, je réponds avec un grand sourire.

J'ai toujours adoré les quiz.

— Parfait.

Tout n'est pas totalement différent, quel soulagement ! Je m'étais presque préparée à l'entendre me dire que le président se nommait Biff Tannen. Oui, quitte à être Marty McFly, autant l'être jusqu'au bout. Apparemment, si ma vie n'est plus la même, ce qui a changé pour moi n'a pas eu d'impact sur l'univers. Soulagée, oui, mais un poil vexée quand même.

— Encore une question ! je ne peux m'empêcher de réclamer.

Le neurologue, lui, ne semble pas trouver ma plaisanterie très drôle. Une amnésique de bonne humeur, ça ne doit pas être très fréquent. Je me tasse sur moi-même, pour coller un peu plus à la situation.

— Vos examens m'ont l'air parfaits. Je ne vois rien d'inquiétant à l'IRM, et les tests neurologiques sont normaux. Apparemment, votre mémoire globale ne semble pas avoir été perturbée par votre chute. Vous dites que, lorsque vous avez repris connaissance, vous ne vous souveniez plus de rien ?

— C'est ça…

J'hésite à lui dire la vérité.

— Il doit s'agir d'une amnésie partielle due au choc. C'est un peu bizarre, cependant.

De nouveau, il examine les clichés, le front plissé par la réflexion et l'incompréhension.

— Docteur ?

— Oui ?

— Tout ce qu'on se dit là reste entre nous ?

— Bien sûr. Je suis soumis au secret professionnel.

— Très bien.

Je prends une inspiration, et c'est tout bas que je murmure ma question :

— Vous avez déjà eu des patients qui se sont réveillés dans une vie parallèle ?

— Excusez-moi, je n'ai pas bien entendu. Une vie parallèle, vous avez dit, c'est ça ?

— Par exemple, aujourd'hui vous êtes neurologue ?

— Oui…

— Mais imaginez que demain vous vous réveilliez et que vous découvriez que vous n'êtes pas neurologue mais, je ne sais pas moi, réchauffeur de matelas. Et que pour tout le monde, sauf pour vous bien sûr, vous avez toujours été réchauffeur de matelas et pas du tout neurologue ?

— Réchauffeur de matelas ?

— Oui, bon, c'est un exemple, oubliez. Si je vous dis que je me souviens parfaitement de ma vie, mais que ce matin je me suis réveillée dans une ligne de vie différente. Qu'hier j'étais professeure de français dans un lycée à Savannah-sur-Seine, célibataire et en colocation avec une acharnée de l'écologie et qu'aujourd'hui je travaille à la radio, suis mariée à un type plutôt beau qui s'appelle Jasper et que je vis dans un somptueux appartement, vous me prenez pour une folle ?

— Hum…

— Vous n'avez jamais eu ce genre de cas ?

— Non. Sans doute parce que c'est impossible.

Voilà qui m'aide drôlement ! Je le regarde se diriger vers son bureau et rédiger une ordonnance. Pleine d'espoir, je lui demande :

— Vous avez un traitement pour moi ?

— Oui, des antidépresseurs. Matin, midi et soir. Pendant trois mois.

Emma m'attend dans la salle d'attente. Elle a l'air inquiète :

— Alors ? m'interroge-t-elle. Qu'est-ce qu'il t'a dit ?

— Les examens sont normaux.

— Bonne nouvelle. Mais tu vas retrouver la mémoire ?

— Il ne sait pas.

— Comment ça, il ne sait pas ? Et combien a-t-il fait d'années d'études pour un tel diagnostic ?

Je pouffe.

— C'est sûrement temporaire, il faut que je me repose.

Gagner du temps, gagner du temps.

— Grosso modo, je dirais que tu as jusque… demain soir. On a une émission d'avance pour aujourd'hui, mais c'est tout. Donc demain, il faudra l'enregistrer en direct. Ce n'est jamais l'idéal, mais bon. Tu es une professionnelle aguerrie, je suis certaine que tu vas t'en sortir

— Oui, bien sûr ! Euh… Mais une professionnelle de quoi ?

Watson, mon cher Watson, je sens qu'on touche au but.

— Eh bien, de l'animation ! Tu es journaliste et animatrice radio, Maxine. Et ça, je parie que c'est comme le vélo !

Animatrice radio. Animatrice. Radio. Anima… Oui bon, on a compris.

Mais c'est trop bien !

Et carrément flippant.

Devant mon air sans doute paniqué, je la vois se radoucir.

— Écoute, voilà ce que je te propose, nous allons rentrer chez toi, et pendant les quelques heures à venir, je vais t'aider à combler les trous.

Espérons que cela suffira.

Chapitre 22

C'est déstabilisant de savoir où se trouvent certaines choses dans un lieu pourtant inconnu. Autant j'ai mis plusieurs dizaines de minutes à trouver mon sac à main ce matin, autant, de retour de la clinique, j'ai sans aucun problème sorti deux mugs du placard, trouvé les dosettes de café et utilisé la machine à expresso d'apparence pourtant bien plus compliquée que la mienne – enfin, celle dont je me sers habituellement, vous m'avez comprise.

Il m'a suffi de ne pas réfléchir et de laisser mon corps faire instinctivement les choses. Dissociation du corps et de l'esprit, mon cas ravirait la psychiatrie.

Assise sur le canapé, Emma me regarde bizarrement.

— Quoi ?

— Je ne sais pas… J'étais en train de penser que c'est étrange de te voir déambuler dans cet appartement et préparer le café comme si de rien n'était, alors que tu ignorais le prénom de ton mari lorsque je te l'ai dit.

— Oui, j'avoue que ça me déstabilise aussi. Je n'ai aucun souvenir de moi ici, et pourtant certaines choses semblent familières.

— Tu es certaine que tu ne te souviens de rien ? Tu ne me mènerais pas en bateau, par hasard ?

— Mais non ! Je te promets que je suis incapable de te dire ce que j'ai fait hier soir ou encore ce que j'ai mangé il y a deux jours, par exemple.

En tout cas, dans cette vie-là…

Difficile de lui raconter que je me souviens parfaitement qu'hier soir j'étais dans ma chambre en train de corriger des copies, en pyjashort Snoopy avec quelques kilos en plus pour me tenir chaud. Ni que j'ai dîné avec un assouplisseur de chaussures taille 41, auteur de blagues Carambar par-dessus le marché. Quelque chose me dit que ça ne collerait pas vraiment avec la vie de mon nouveau moi.

— Un bagel au saumon, une salade de pousses de soja, un thé vert.

— Hein ?

— C'est ce que tu as mangé, il y a deux jours.

— Tu t'en souviens ?

— Comme c'est moi qui vais te chercher ton déjeuner quand tu bosses à la radio, et que tu commandes quasiment toujours la même chose, ce n'est pas difficile.

Une salade de pousses de soja ? Sans même une toute petite tranche de cheddar ou de bacon ? Être mince, ça craint.

Je bois une gorgée de café et réprime une grimace. Sans sucre, évidemment. Je savais bien qu'il manquait une étape tout à l'heure. Voilà ce que c'est que de laisser son instinct prendre les choses en main.

— Bon, on commence par où ? me demande Emma, tout en buvant, elle, son infâme breuvage amer sans broncher.

Pour ça, il faudrait savoir quand la ligne du temps a bifurqué, et malheureusement je n'en ai absolument aucune idée.

— Procédons par thème. Boulot d'abord, vie privée ensuite.

— Pas de problème, acquiesce Emma. Alors, côté boulot, tu es journaliste.

— Et je fais de la radio.

— C'est ça. Sur Europe 1.

Ça ne fait pas très sérieux si je hurle un « waouh » accompagné d'une danse de la joie sur la table basse ? Non, sans doute pas. Je me contente d'un hochement de tête. Sérieux et professionnel.

— Et depuis combien de temps ?

— Quatre ans. Tu as d'abord animé pendant trois ans la tranche 16-18 heures, une émission avec des chroniqueurs qui s'appelait *Bienvenue chez Maxine*. Et depuis cette année, tu es passée sur la tranche 21-23 heures, une émission que tu animes seule et dans laquelle tu reçois un ou plusieurs invités et qui s'appelle *En toute intimité*.

Oh. Mon. Dieu.

Je suis Justine Julliard. Je suis Justine Julliard ! Vous êtes sûrs que je ne peux pas faire la chorégraphie *Single Ladies* de Beyoncé ? Franchement, ça le mériterait ! Même sans musique.

— Est-ce qu'hier soir j'ai reçu un auteur pour parler de son premier roman ?

— Oui ! Ça y est, la mémoire te revient ? me demande Emma, pleine d'espoir.

— Non.

Douche froide sur l'espoir.

— Juste un petit flash, me reprends-je devant son air dépité.

Tiède, la douche. Parce que Emma m'est sympathique.

— Est-ce que j'aime mon boulot ?

— Si tu aimes ton boulot ? Dans la mesure où ta vie entière tourne autour, je dirais que oui. Bien sûr, il y a beaucoup de pression, les audiences, l'arrivée de nouvelles animatrices qui veulent te piquer ta place, les heures de préparation pour chaque émission…

— Et nous, on se connaît depuis combien de temps ?

— Tu m'as embauchée à ton arrivée sur Europe 1.

— Tu étais assistante de quelqu'un d'autre avant ?

Je vois son regard se durcir et son sourire s'effacer.

— Non. J'étais rédactrice adjointe pour une revue d'actualités. J'étais mariée aussi. Avec le directeur de la revue. Lorsque j'ai voulu divorcer, j'ai perdu le job.

— Et pourquoi tu n'as pas cherché de boulot dans une autre revue ?

— J'ai cherché. Mais mon ex-mari a des relations dans toute la presse écrite. Bizarrement, les portes se sont refermées avant même de s'ouvrir. Elles sont restées closes, quoi !

— C'est dégueulasse !

— C'est comme ça. Je savais qu'en le quittant ce serait compliqué.

— Et tu l'as quitté parce que ?

Je sais que je suis trop curieuse, mais elle et moi on est censées se connaître, donc elle m'a forcément déjà donné cette information.

— Il couchait avec son assistante.

— Ah…

Chapitre 23

J'en sais un peu plus concernant le dossier vie professionnelle, même si l'idée de devoir me rendre à la radio demain et de donner le change me terrifie. Peut-être que ce sera comme pour la machine à café et que je saurai instinctivement comment m'en sortir ? Après tout, je suis bien capable de faire cours devant trente élèves qui ont les yeux braqués sur moi toute la journée, ou presque…

Ou peut-être que je vais être paralysée par la peur, incapable de sortir le moindre mot. Ça paraît facile quand on écoute, mais quelque chose me dit que, derrière le micro, c'est une autre paire de manches. Inutile de se torturer l'esprit maintenant, on verra le moment venu.

Il est temps de passer au second aspect de ma vie.

— Et sur le plan personnel ? Tu peux m'en dire un peu plus sur mon… mon mari ?

— Vous venez de fêter vos trois ans de mariage, Il t'a fait une surprise et t'a emmenée passer cinq jours à New York.

— Sérieux ?

— Tu connais la chanson « ça dégouline d'amour, c'est beau mais c'est insupportable… »

Emma me fait penser à Audrey. Elle aussi adore cette chanson. Elle la chante souvent au Blues Pub.

— Tu sais comment on s'est rencontrés ?

— C'était lors d'une soirée, celle où tu as reçu une récompense.

Mon regard se dirige vers la photo que j'ai regardée ce matin. Celle où je porte une robe moulante noire et des lentilles bleues.

— Jasper est ami avec un producteur avec lequel tu as collaboré.

— Lui aussi travaille dans les médias ?

— Ah non, pas du tout. Il est avocat dans un grand cabinet parisien.

— Avocat ?

— Oui, pourquoi ?

— Je ne sais pas, j'ai du mal à m'imaginer avec un avocat. J'aurais pensé plutôt à un romancier ou un animateur télé. Un truc un peu glamour, quoi.

— Les animateurs télé sont quasi tous gays, alors ça complique un peu la donne, rit Emma. Et la moitié de ceux qui ne le sont pas sont des cons finis. Nan, je t'assure, avocat, c'est bien mieux. Et tous les deux vous êtes très amoureux. Quand on vous voit ensemble, ça crève les yeux.

— Il n'était pas là, ce matin à mon réveil…

— Comment ça, à ton réveil ?

Bravo Maxine, bien joué le coup du réveil dans ton lit. Tu es amnésique, je te rappelle, amnésique.

— Oui, enfin je veux dire, lorsque j'ai repris connaissance dans la salle de bains, il n'y avait personne, donc j'imagine qu'il était absent ce matin…

Emma m'observe quelques secondes, je sens qu'elle hésite sur l'attitude à adopter mais elle poursuit :

— Il n'est pas à Paris en ce moment. Tu m'as dit qu'il était à Londres pour quelques jours. Avec l'un de ses associés, il couvre un procès d'envergure internationale. Une histoire de fraude ou un truc comme ça, je n'ai pas tout saisi.

— On ne se voit pas beaucoup, c'est ça ?

— Disons que vous vous voyez moins que la plupart des couples. C'est l'inconvénient d'animer une émission le soir. Tu rentres tard et lui part tôt…

— Mais on s'aime, tu dis ?

— Assurément, me répond-elle avec un grand sourire. Tu devrais pouvoir le constater bientôt par toi-même, tu m'as dit hier qu'il rentrait ce soir.

— Ce soir ?! (Je manque de m'étouffer avec ma gorgée de café amer et désormais froid.) Mais comment je vais faire, je n'ai aucun souvenir de lui !

Si ce n'est la douce chaleur qui se répand dans mon corps quand on l'évoque et que je ne m'explique pas…

— Tu n'auras qu'à lui raconter la vérité, je suis sûre qu'il comprendra.

Rien n'est moins sûr… Salut Jasper, je ne suis pas animatrice radio mais professeure de français : il va adorer.

— Et puis, poursuit Emma, peut-être que le voir ranimera des souvenirs. Je te rappelle que demain il faudra être à l'antenne, alors si d'ici là la mémoire pouvait te revenir ce serait super.

Pensive pendant une trentaine de secondes, je me décide à poser la question qui me trotte dans la tête depuis le début de cette discussion.

— Dis-moi, Emma, tu sembles connaître beaucoup de choses sur ma vie…

— C'est vrai, mais on passe des heures ensemble, alors tu me racontes des tas de trucs. En plus d'être ton assistante, je fais un peu office de meilleure amie.

Elle regarde soudain sa montre.

— Mince, je n'ai pas vu le temps passer. C'est bon pour toi si je te laisse ? Mon fils termine les cours à 18 heures et je dois passer le récupérer.

— Oui, oui, ne t'inquiète pas. Tu as déjà chamboulé ta journée pour moi. Merci, d'ailleurs.

— Pas de problème, je suis là pour ça. Je passerai te prendre demain matin à 8 heures, comme ça on arrivera avant toute l'équipe pour préparer l'émission du soir.

Elle se lève et récupère son sac à main.

— Ah, j'y pense ! Peut-être que d'ici demain tu pourrais écouter quelques-unes de tes émissions, ça pourrait t'aider ? Et si ça ne réveille pas ta mémoire, au moins ça te donnera des billes pour l'émission à enregistrer.

— C'est vrai, l'émission…

— Tu sais ce qu'on dit, c'est comme le vélo…

Décidément, Emma a un truc avec le vélo.

Est-ce que je lui dis maintenant que la dernière fois que je suis montée sur un, j'ai buté contre un trottoir et que ça m'a valu un plâtre pendant trois semaines ?

Nan, ce serait cruel pour elle.

Chapitre 24

C'est une fois Emma partie que je me laisse envahir par l'ensemble des informations qu'elle vient de me donner. Je suis journaliste, j'anime une émission de radio et j'ai même reçu une récompense. C'est incroyable. Très excitant aussi. Et terrifiant.

Lentement, je me promène dans l'appartement, mon appartement. La panique de ce matin s'en est allée. J'ignore comment je suis arrivée là, je n'ai aucune idée du pourquoi, ni si c'est temporaire ou permanent ; mais je sais maintenant à peu près qui je suis dans cette vie et je décide de m'appuyer sur ces seules certitudes.

Je passe la main sur chaque meuble, impressionnée par leur qualité. Tous sont disposés avec goût, et le résultat, à la fois cosy et élégant, me plaît beaucoup. Les lourds rideaux d'une couleur orangée qui encadrent les deux baies vitrées donnent une incroyable luminosité à la pièce.

Je me demande si c'est moi ou mon mari, Jasper, dont je murmure le prénom à voix haute comme pour m'y habituer, qui avons agencé ce lieu. Peut-être que nous avons fait appel à un décorateur d'intérieur, ça doit se faire dans ce milieu, j'imagine.

Une terrasse que je n'avais pas encore remarquée se devine derrière les fenêtres. Elle est immense. On y trouve deux bains de soleil en résine blanche avec d'épais matelas gris d'apparence moelleuse, surplombés d'un immense parasol crème. Un peu plus loin, je découvre un salon de jardin avec une grande table rectangulaire en bois entourée de huit chaises. Là encore, un parasol, orange comme les rideaux, protège l'ensemble des rayons du soleil. Tout autour de la terrasse sont disposées des plantes vertes en pot, dont je serais bien incapable de dire le nom. Au fond sur la droite, quelque chose qui ressemble à… non… Un Jacuzzi ! Voilà qui plairait à ma sœur, elle parle régulièrement d'en faire installer un chez elle.

Je me dirige ensuite vers la chambre pour terminer d'assouvir ma curiosité. La couette est toujours en boule sur le lit et, comme cela détonne avec le reste du décor, je la remets bien en place.

Je regarde tout autour de moi mais ne trouve pas ce que je cherche. Frustrée, je m'apprête à sortir de la chambre quand, soudain, je reprends espoir. Là, à côté du miroir dans lequel j'ai découvert ma nouvelle silhouette ce matin, il y a une porte. Peinte en blanc comme le reste de la pièce et ne présentant aucune poignée, elle avait échappé à mon attention.

Je m'approche et la fais coulisser. Mon sourire s'agrandit et je ne peux réprimer un cri de surprise et de joie. Il y a là un dressing presque aussi grand que la chambre. Avec des étagères et des tiroirs du sol au plafond. Sur la gauche se trouvent les chemises et costumes de Jasper.

Sur la droite, mes vêtements. Beaucoup, beaucoup de vêtements. Des chemisiers, des jupes, des robes, des tenues de soirée. Et en face, sur le mur du fond, des rayonnages entiers de chaussures. Il y en a de toutes les formes et de toutes les couleurs. J'ai l'impression d'avoir été propulsée dans le film *In her shoes*, à la place de Toni Collette.

J'entre pour regarder de plus près. Les vêtements sont tous magnifiques et je ne peux m'empêcher de regarder les étiquettes. C'est du 36. J'ai donc perdu deux tailles. En une nuit. En voilà un régime diablement efficace ! J'évite de penser au nombre de salades de pousses de soja qu'il m'a fallu ingurgiter dans cette vie pour arriver à ce résultat.

J'attrape une paire d'escarpins vert amande et l'enfile. Les talons sont un peu hauts, mais apparemment mon corps y est habitué puisque je marche sans problème. Si Samya et Audrey étaient là, elles n'en croiraient pas leurs yeux.

Consciencieusement, j'ouvre chacun des douze mille tiroirs du dressing. Des bijoux, des foulards, des cravates, des chaussettes, des boutons de manchettes... Mais aucun sac à main. Rien qu'un ou deux machins en toile pour la plage. Voilà qui me surprend. Et me déçoit, pour être honnête. J'ai des tas de fringues, des chaussures superbes et même pas une tonne de sacs à main pour aller avec. Pas même un petit Vuitton de rien du tout.

Je choisis dans ma garde-robe une jupe crayon et un haut pour aller avec les escarpins. Je les enfile puis sors du dressing pour aller admirer le résultat dans la glace. Je me regarde sous toutes les coutures. La jupe tombe parfaitement. Il n'y a rien qui dépasse ou bloblote, comme chez Bridget Jones.

Je fais quelques petits sauts dans la chambre en criant de joie, puis je poursuis mes sauts de cabri dans le salon. J'ai un appartement magnifique, un corps de rêve, un mari canon dont je suis apparemment amoureuse et qui m'aime aussi, j'ai un super job dans lequel je semble appréciée et reconnue…

Voilà qui mérite bien cette fois une petite danse à la Carlton Banks. Pendant cinq minutes, je me déhanche dans mon salon, sans musique et de manière parfaitement ridicule, en pensant à ma nouvelle vie.

Il faut absolument que Samya et Audrey viennent voir ce dressing. Il faut qu'elles…

L'euphorie et l'excitation retombent presque instantanément. J'arrête de danser et m'apprête à devoir reprendre mon souffle, mais non.

Je dois en avoir le cœur net. J'attrape le sac que j'ai laissé dans l'entrée en rentrant de la clinique et je sors. Direction Savannah-sur-Seine.

Chapitre 25

Il n'y a pas encore grand monde au Blues Pub. Nous sommes samedi et je sais par habitude que le bar ne se remplira qu'à partir de 18 heures.

Suite à ma discussion avec Emma, il m'a bien fallu relier les points entre eux.

Si je suis journaliste, c'est que je n'ai pas fait d'études pour devenir professeure de français, ni travaillé au lycée Ulysse-Grant. Et donc que je n'ai jamais rencontré Samya ni Audrey, ce qui expliquerait la conversation que j'ai eue ce matin avec elle qui semblait ne jamais avoir entendu parler de moi.

J'y ai pensé tout au long de la route, au volant du cabriolet noir rutilant dont les clés se trouvaient dans mon sac.

Comme ces gens qui voient soi-disant leur vie défiler devant eux au moment de mourir, j'ai eu des flashes de nos soirées, de nos fous rires, de nos pseudo-séances de running. Ce temps qu'on a passé ensemble toutes les trois ces dernières années et qui fait qu'aujourd'hui je tiens à elles comme si elles faisaient partie de ma famille.

Je repense à la détresse de Samya lorsque Gilles est parti, à ma tristesse pour elle.

J'ai beau ne pas me faire beaucoup d'illusions sur l'existence de notre amitié ici, j'ai besoin de me confronter à la réalité.

Peut-être qu'il y a une possibilité de recréer cette amitié, de devenir dans cette vie-là les mêmes amies que dans l'autre.

Je sirote lentement mon cocktail, espérant les voir franchir le seuil du bar à tout moment.

La porte s'ouvre, mon cœur se serre, mais ce ne sont pas mes amies. Un couple de jeunes qui vient lui aussi régulièrement au Blues Pub s'installe à côté de moi. La fille me regarde du coin de l'œil et chuchote quelque chose à son compagnon qui me dévisage à son tour.

Je me sens soudain mal à l'aise dans mes vêtements de marque, avec ma coupe de cheveux à la dernière mode et, garée à l'extérieur, une voiture dont le prix équivaut à au moins deux ans de mon salaire d'enseignante.

— Pardon de vous déranger, mais vous êtes Maxine Varram ? L'animatrice radio ?

Je manque d'éclater de rire et de répondre, flattée, qu'il y a erreur sur la personne avant de me reprendre. Je suis bien celle dont elle parle.

— Oui… C'est moi.

La fille m'adresse alors un grand sourire.

— Je vous adore ! J'écoute toutes vos émissions. Même quand vous passiez l'après-midi, je vous écoutais le soir en podcast. Je vous trouve si naturelle et spontanée. Surtout ne changez rien, restez telle que vous êtes.

Un peu gênée par cet échange auquel je ne m'attendais pas, je la remercie et lui signe un autographe sur le carnet qu'elle me tend. J'ai l'impression d'être un imposteur. Pour elle, et pour le reste du monde, je suis animatrice radio. Mais pour moi…

Un éclat de rire familier me fait tourner la tête. Sans que je les aie vues, elles sont entrées dans le bar. Elles sont trois. Audrey, Samya et une fille que je ne connais pas. Elles s'installent à notre table. Je les observe aussi discrètement que possible. Elles commandent des mojitos et Audrey fait les yeux doux à Steeve lorsqu'il leur apporte les consommations.

Le regard de Samya croise le mien quelques secondes, je détourne rapidement la tête pour qu'elle ne pense pas que je les espionne. Lorsque je me risque de nouveau à les regarder, Samya est en grande conversation avec la troisième fille. Celle qui est à ma place dans cette vie-là, je suppose.

Pendant les deux heures qu'elles passent au pub, à aucun moment elles ne me prêtent attention. Elles sont telles que je les ai laissées hier, rieuses et un peu déchaînées, se moquant gentiment les unes des autres.

Les avoir ainsi en face de moi est douloureux. L'espace d'un instant, je suis tentée de me lever et d'aller leur parler. Mais pour leur dire quoi ? Salut, moi, c'est Maxine, et quelque chose me dit que nous pourrions super bien nous entendre ?

Nous n'avons rien construit ensemble et n'avons, si j'en crois ce que l'on m'a dit de ma vie, plus grand-chose en commun. Je repense à mon luxueux appartement, à mon dressing où l'on pourrait caser la moitié de leur studio, au fait qu'il y a à peine quelques minutes une jeune femme m'a demandé un autographe…

Si tant est que tout ça n'ait pas d'importance, c'est bien un trio que j'ai en face de moi, et, connaissant Samya et Audrey, il doit être aussi soudé que celui que nous formions. Que feraient-elles d'une quatrième *alcoolyte* de karaoké ?

Inutile de rester là plus longtemps. Je me lève, règle mes consommations et plante mes lunettes de soleil sur mon nez pour dissimuler les larmes qui commencent à monter et que je vais, je le sais, être incapable de retenir.

Dans la voiture, sur la route qui me conduit vers mon nouveau chez-moi, vers cette existence que j'ai fantasmée pendant des années et qui, par bien des côtés, est tellement excitante, je tente de faire le deuil de mon ancienne vie. Après tout, ai-je un autre choix que celui d'être Maxine Varram, animatrice sur Europe 1 ? C'est ma réalité, maintenant. La seule et l'unique. Même si j'ai le cœur lourd de ce passage au Blues Pub, je dois regarder devant moi. Demain, je vais animer une émission de radio. Demain, je vais enfin faire ce qui m'a toujours fait rêver.

Dans le box au sous-sol de l'immeuble, je découvre au moment de me garer une voiture qui n'y était pas tout à l'heure. Un frisson me parcourt le corps. Impossible de savoir s'il s'agit de peur ou de joie. Comment est-il ? Gentil ? Drôle ? Est-ce qu'il va vouloir m'embrasser ? Bien sûr, qu'il va vouloir m'embrasser, nous sommes mariés. Comment je vais faire ? Et s'il veut… Je trouverai bien une excuse.

C'est dans cet état paradoxal et un peu inconfortable que j'ouvre la porte d'entrée.

Mon mari est assis sur le canapé. Lorsqu'il m'aperçoit, son visage s'illumine, il se lève et, une fois à ma hauteur, il me prend amoureusement dans ses bras. Il sent bon, son torse est musclé. Je ferme les yeux et c'est comme une envolée de papillons dans mon estomac. Foutue dissociation mentalo-corporelle.

— Tu m'as manqué, chérie, me murmure-t-il au creux de l'oreille.

CHAPITRE 26

Je fais durer notre étreinte le plus longtemps possible. Quand il me libérera, il me faudra lui sortir mon histoire d'amnésie comme avec Emma. Incapable de savoir quelle sera sa réaction, j'ai surtout peur qu'il me pose tout un tas de questions.

— J'ai écouté ton émission d'hier soir, me dit-il après être retourné s'asseoir sur le canapé. Il faudra que je lise le bouquin de ce type qui était invité. Je n'ai pas pu m'empêcher de penser à ce que serait ma vie si par exemple je n'étais pas devenu avocat mais que j'avais persévéré dans ma lubie de devenir musicien professionnel.

Tu vois, Samya, pensé-je, *il n'y a pas que moi qui m'amuse à me poser ce genre de questions*. Je détaille Jasper sans trop d'insistance. Il n'est pas parfait, mais un charme fou et un charisme indéniable émanent de lui. Son sourire franc me met en confiance.

— Tu veux boire quelque chose ? lui proposé-je.

— Bonne idée. Ça te dit que l'on partage un petit verre de vin et qu'ensuite on se commande des sushis ?

J'acquiesce et le suis des yeux lorsqu'il se lève pour se diriger vers un meuble de la cuisine. Je le vois réfléchir quelques secondes puis choisir une bouteille.

— Du vouvray, ça te va ?

— Parfait.

Je n'ai bien sûr absolument aucune idée de ce qu'est le vouvray, n'ayant bu en tout et pour tout jusqu'ici que trois verres de vin. Le dernier, pris avec Germain, m'a d'ailleurs laissé un goût amer en bouche. Le rhum, il n'y a que ça de vrai !

Jasper revient s'asseoir à côté de moi avec nos deux verres.

— À nous, me dit-il en m'accordant un regard débordant de sensualité qui, de la part d'un inconnu, devrait me mettre mal à l'aise et pourtant, curieusement, me donne chaud. Très chaud.

Je bois une gorgée de vin. *C'est bon, ce truc, il faudra que j'en parle aux filles*, je pense immédiatement, avant de me rappeler qu'il n'y a plus de filles. Ma tristesse doit être visible parce que Jasper me demande :

— Ça n'a pas l'air d'aller, chérie.

C'est le moment. Allez Maxine, c'est comme un pansement, on tire d'un coup sec.

— Il faut que je te dise quelque chose…

— Ne me dis pas que tu es enceinte ? m'interrompt-il plutôt brusquement.

La sensualité a disparu pour laisser place à quelque chose de négatif. Comme de la colère. J'ai un léger mouvement de recul.

— Euh, non…

Enfin, sauf si j'ai couché avec l'auteur de blagues Carambar avant la bifurcation de la ligne du temps, ce dont je doute. Je ne m'attendais pas du tout à cette réaction de sa part. J'aimerais creuser un peu, mais il ne m'en laisse pas le temps.

— Dis-moi, alors. Il y a quelque chose qui ne va pas ?

— Ce matin, j'ai fait un malaise dans la salle de bains et j'ai dû me cogner en tombant parce que, depuis que j'ai repris connaissance, je ne me souviens plus de rien.

Voilà, pansement arraché. Brutal mais efficace.

Jasper me fixe sans avoir l'air de comprendre.

— Tu peux répéter ? demande-t-il.

— Je souffre d'une sorte d'amnésie transitoire. Ce n'est pas grave, hein. Emma m'a emmenée faire des examens cet après-midi et un faux docteur Shepherd m'a dit que ce n'était rien et que tout allait sans doute rentrer rapidement dans l'ordre.

— Amnésie ?

— Oui…

— Mais… à quel point ?

La colère a complètement disparu pour laisser place à l'inquiétude. Il se rapproche de moi et me prend la main.

— Je me souvenais de mon prénom mais de rien d'autre. Quand Emma m'a appelée parce que j'étais en retard à la radio, je ne savais pas qui elle était ni même pourquoi elle m'attendait, en fait.

— C'est terrible… Et… tu te souviens de moi ?

— Non.

— Ah…

Il semble sincèrement malheureux.

— Je suis désolée. Mais le médecin a dit que ce serait sûrement temporaire. D'ici quelques jours, les choses vont forcément me revenir.

Il me prend dans ses bras, délicatement, comme s'il avait peur de me casser. Puis, tendrement, il me caresse le dos. Un frisson de plaisir me parcourt le corps. Instinctivement, j'ai envie de lui, là maintenant sur le canapé.

— Le médecin a dit s'il y avait quelque chose à faire pour aider ta mémoire à revenir ?

— Me raconter des souvenirs, me montrer des photos, ce genre de choses…

C'est une réplique que j'ai dû entendre une fois dans un film. Voilà qui me permettra d'en apprendre plus sur cette vie.

En attendant, s'il continue avec sa main, je ne réponds plus de rien.

La soirée est bien avancée lorsque Jasper me tend un album photo.

— C'est celui que tu as débuté quand nous nous sommes rencontrés, m'apprend-il.

Je m'assois en tailleur sur le canapé et pose l'album sur mes genoux. J'essaie tant bien que mal de ne pas laisser transparaître mon excitation. Découvrir ma propre vie en images, voilà qui n'est pas banal. Jasper, lui, se ressert un verre de vin. Je sens qu'il m'observe, franchement déstabilisé par la situation. Tout au long du repas, il m'a raconté notre vie, notre rencontre, un peu fébrile et attentif à mes réactions, dans l'espoir qu'une information fasse ressurgir un début de souvenir. Je ne peux m'empêcher d'avoir de la peine pour lui, mais impossible de lui raconter la vérité. Il me prendrait pour une folle.

— C'est nous, là ? je lance devant une photo d'un couple en maillot de bain photographié de profil.

— Oui, c'est nous. Nos premières vacances, c'était en République dominicaine.

— Mais je suis canon !!! m'exclamé-je malgré moi.

Le cliché a dû être pris à la fin du séjour car je suis bronzée. Et surtout, je suis mince. Moi qui n'ai jamais osé enfiler un Bikini, je ne peux qu'admirer celui que je me vois porter, un modèle bleu à pois blancs.

Jasper éclate de rire.

— Qu'est-ce qui t'amuse autant ?

— Toi, ta réaction. On dirait que tu n'as jamais vu cette fille de ta vie.

Comment lui dire que c'est exactement ça… Je ne m'attarde pas et tourne les pages de l'album pour trouver les photos qui m'intéressent, celles de notre mariage.

Il n'y en a que quelques-unes. Je retrouve celle qui est encadrée sur le mur et, une fois encore, je m'extasie devant la beauté de ma robe de mariée.

— Tu étais si belle dans cette robe. Moi qui n'étais pas emballé par l'idée du mariage, j'étais si fier et heureux de devenir ton mari.

Sur les photos suivantes, je reconnais Emma, superbe dans une robe fourreau lavande. Il y a aussi un cliché où je pose avec mon frère et ma sœur. C'est comme si je ne les avais pas vus depuis des semaines et des semaines. J'éprouve une sensation de manque que j'ai du mal à m'expliquer.

— Nous étions nombreux ?

— Non, pas tellement. Tu ne voulais pas d'un grand mariage, et je dois dire que ça m'allait aussi. Il n'y avait que nos familles et les amis proches. Je dirais une soixantaine de personnes. C'était une très belle journée.

Je regarde de nouveau les photos et je suis triste de ne rien ressentir. Toutes ces personnes que je ne connais pas, et cette image de moi tellement différente de celle que je suis. Ou que j'étais. Moi-même je m'y perds un peu.

Je me sens soudain mal à l'aise et referme l'album sans même l'avoir regardé jusqu'au bout.

— Ça ne va pas, chérie ? me demande Jasper.

— Ce n'était peut-être pas une bonne idée, finalement.

— La mémoire ne te revient pas ?

— Non… Ça n'a rien changé. Je… La journée a été longue, je suis fatiguée. Ça t'ennuie si je vais me coucher ?

— Bien sûr que non. Peut-être qu'une bonne nuit de sommeil sera salutaire.

Il semble si plein d'espoir que je regrette presque d'avoir inventé cette histoire d'amnésie. Mais comment lui dire que celle qu'il aime et qu'il a épousée n'est plus la même ?

CHAPITRE 27

Étrange sensation à mon réveil que celle des bras de Jasper autour de moi. Cet homme dont j'ai appris l'existence hier matin, que j'ai rencontré la veille au soir et qui me paraît à la fois familier et inconnu. Je suis lovée contre lui, et pour être honnête je ne ressens ni gêne ni malaise. Je me trouve... incroyablement bien.

— Bien dormi, chérie ? me demande-t-il après que je me suis écartée de lui pour pouvoir le contempler.

— Tu ne dormais pas ?

Moi qui pensais pouvoir l'observer en toute discrétion, c'est raté.

— Non. Tu sais que je ne dors jamais beaucoup la nuit. Enfin, tu sais...

— Je devrais le savoir, j'imagine.

— Tout ça est perturbant pour moi. Je suis désolé si je te parais un peu pressant ou agacé. C'est juste que tu es la même et pourtant tu sembles différente.

— Ah oui ? je lui demande, intriguée, en me redressant dans notre lit. Et qu'est-ce qui te fait dire ça ?

— C'est ce que j'essayais justement de déterminer depuis que je suis réveillé. Tes expressions, ton regard, ta façon de sourire ou de t'asseoir, je ne sais pas, il y a de légers changements.

— Ma façon de m'asseoir ?

— Hier, quand tu as pris l'album photo, tu t'es assise en tailleur sur le canapé. En y repensant, je crois que je ne t'avais jamais vue t'asseoir en tailleur.

— Ah. Et… c'est grave ?

— Non, me répond-il en replaçant tendrement une mèche de mes cheveux derrière mes oreilles. Bien sûr que non. C'est juste perturbant. C'est comme si tu pensais tout connaître d'une personne et que d'un seul coup elle se mettait à agir ou à parler de manière différente.

Il se rapproche de moi puis sans crier gare commence à m'embrasser dans le cou. Je ferme les yeux et mon corps devient guimauve. Je le laisse faire, et c'est seulement lorsque sa main posée sur ma cuisse remonte sous ma nuisette que je m'écarte de lui.

— Je suis désolée, je ne peux pas.

Non pas que je n'en aie pas envie. Là tout de suite mon corps, lui, me hurle sa frustration et, s'il le pouvait, me truciderait de milliers de coups de couteau. Mais ma tête, elle, n'arrive pas à se résoudre à faire l'amour avec un type dont elle ignore tout.

— Pardon, je pensais que peut-être… Je ne voulais pas te brusquer, murmure-t-il d'un air malheureux.

— Je comprends. Pour moi aussi la situation est difficile, tu sais. Il me faut sans doute un peu de temps. Je te promets que tout va finir par rentrer dans l'ordre, lui dis-je en déposant un léger baiser sur ses lèvres douces et chaudes.

Jasper est déjà parti travailler lorsque Emma sonne à ma porte, moins d'une heure plus tard. Nous sommes convenues la veille qu'elle viendrait me chercher. Ne sachant pas comment me rendre à la radio, c'était plus prudent.

— Tu t'es mise sur ton trente et un ! s'exclame-t-elle en découvrant ma tenue.

Au prix de mille hésitations et de dizaines d'essayages, j'ai choisi un pantalon carotte en satin noir avec une chemise à lavallière blanche que j'ai accessoirisée d'un long sautoir de perles noires et d'un bracelet assorti.

— C'est trop, tu crois ? Il y a tellement de vêtements dans mon dressing, j'ai eu du mal à me décider.

— L'équipe est plutôt habituée à un look plus décontracté, mais ça ira. Tu es superbe, en tout cas.

Je lui souris et je sens mes joues rosir de plaisir.

— J'espère que tu as pu écouter quelques enregistrements de tes émissions ? me demande-t-elle.

— Oui. Hier soir, dans mon lit, j'en m'en suis repassé quelques-uns. Jasper avait un dossier à boucler, alors j'en ai profité.

Pour ne pas paraître excessivement prétentieuse, j'évite de lui préciser que je me suis trouvée incroyablement douée. Pourtant, c'est le cas. Et c'est d'autant plus tentant de l'avouer que cette Maxine que j'ai écoutée parler hier, c'est moi sans l'être vraiment.

— Parfait ! Je suis certaine que tout va rouler. Et avec Jasper, ça s'est bien passé ?

— C'était bizarre. Il trouve que je suis différente. Est-ce ce que tu ressens aussi ?

— Oui, un peu. C'est assez subtil, mais c'est vrai qu'il y a de légères modifications. J'imagine que c'est normal. Si tu ne sais plus qui tu es…

J'ai envie de lui avouer que je sais parfaitement qui je suis, à savoir une professeure de français au lycée, mais je me retiens.

— Il faut y aller, me presse-t-elle, on a du boulot avant l'enregistrement de l'émission.

— C'est quoi le thème, déjà ?

— Comment se relever après la perte d'un proche.

Voilà au moins un thème sur lequel je n'aurai pas à faire semblant, pensé-je avec soulagement.

Chapitre 28

— Maxine, c'est à toi dans dix secondes, m'annonce le réalisateur dans l'oreillette.

Comment les présentateurs font-ils pour s'habituer à ce machin ? J'ai envie de me gratter toutes les trois secondes.

Depuis que nous sommes entrées dans le studio d'enregistrement, je sens l'excitation me gagner. Je vais animer une émission de radio ! Moi, Maxine, professeure de français à Savannah-sur-Seine, il y a à peine quelques heures, me voici aujourd'hui animatrice vedette sur Europe 1. J'ai échangé quelques mots rapides avec mon invitée – rien que prononcer le mot me donne envie de pousser des cris de joie – avant de m'installer.

Devant moi sont étalées toutes les fiches que j'ai griffonnées. Emma m'a bien briefée sur la façon dont les choses allaient se dérouler et je devine les encouragements dans son regard de l'autre côté de la vitre. C'est une vraie professionnelle des médias. L'injustice de sa situation me révolte. Quand on y réfléchit, en cet instant, elle serait bien plus légitime que moi devant ce micro.

Le réalisateur me fait un signe, c'est à moi.

— Bonsoir à tous, je suis ravie de vous retrouver pour une heure et demie d'échanges *En toute intimité* sur Europe 1. Aujourd'hui, un thème qui nous touche tous un jour ou l'autre, celui de la perte d'un proche. Parce que c'est aussi votre émission, j'attends vos appels et témoignages.

Le jingle de l'émission est lancé. Je respire et découvre qu'il est possible de transpirer des fesses. Mon pantalon est trempé. Satin et stress ne font pas bon ménage. Emma m'adresse un grand sourire, ce qui signifie que je m'en suis plutôt bien sortie.

— Pour m'accompagner tout au long de l'émission, j'ai le plaisir de recevoir dans le studio Mme Vladimir, psychologue clinicienne, qui vient de publier un ouvrage intitulé *Faire son deuil pour les Nuls* aux éditions Chimel Falon.

— Bonsoir et merci de me recevoir pour aborder un sujet aussi difficile.

— Dans cette émission, nous traitons de tous les sujets susceptibles de parler aux auditeurs. Pouvez-vous nous présenter votre ouvrage en quelques mots ?

— Dans mon cabinet, je reçois très souvent des personnes en difficulté suite à la perte d'un proche, et je me fais chaque fois la réflexion qu'il faudrait pouvoir leur proposer un livre simple qui leur permettrait de mieux comprendre leurs émotions et de situer leur avancée dans le processus de deuil.

— Qu'entendez-vous par situer leur avancée ? Pouvez-vous nous en dire un peu plus ?

— Le deuil est un processus finalement très codifié, avec des étapes à franchir. Ce sont toujours les mêmes. L'idée, c'est d'expliquer que, par exemple, lorsque je suis en colère contre la personne qui est partie, c'est normal. La colère étant l'une des étapes du deuil, la troisième après le déni et la culpabilité, la ressentir signifie que je progresse dans le travail vers le mieux-être.

— Et après la colère, il y a quoi ?

— La tristesse. Avec ce livre je n'invente rien, le travail de deuil fait l'objet de nombreux ouvrages. Mais je voulais quelque chose de plus concret qui parte des émotions des gens : « Je ressens ça, où est-ce que j'en suis ? » C'est pour ça que le livre est construit par mots clés. Il ne se lit pas de manière linéaire, mais les gens peuvent le prendre à partir de l'émotion qui est la leur sur le moment.

— J'allais justement préciser à nos auditeurs que c'est la grande force de votre livre, que j'ai lu pour préparer cette émission.

J'évite de préciser que je l'ai découvert seulement ce matin.

— Et pour ne rien vous cacher, en le lisant, j'ai repensé aux émotions que j'ai ressenties après le décès de ma grand-mère, il y a maintenant trois ans.

Lorsque hier soir, dans mon lit, j'ai écouté quelques enregistrements de mes émissions, ce qui m'a frappée c'est la distance dont je faisais preuve. Pas une seule fois je ne me suis entendue établir un lien entre le sujet et ma vie personnelle. Pourtant, c'est sans doute ce qui permet de tisser une véritable relation avec les auditeurs, qui ont alors le sentiment de connaître l'animateur. Animer une émission sur les accidents domestiques et ne pas raconter l'anecdote de mon frère sur le point de plonger un sèche-cheveux dans l'eau du lavabo parce qu'elle était froide et qu'il voulait la réchauffer, voilà qui m'a paru bizarre. Je me suis dit qu'il y avait là quelque chose à améliorer.

Alors que je parle de Moune avec mon invitée, je vois qu'Emma est contrariée. Je ne lui ai pas fait part de mon impression de distance, de peur qu'elle ne me dissuade de parler de moi.

— Je vous propose de faire une pause et nous prendrons ensuite des auditeurs à l'antenne.

Pendant les publicités, l'assistant du réalisateur me donne les informations sur les personnes en attente au standard. Je voudrais pouvoir échanger avec Emma, dont le visage ne s'est pas décrispé, mais mon oreillette me souffle déjà que je reprends l'antenne dans dix secondes.

— Nous voici de retour. Je suis en compagnie de Mme Vladimir et nous parlons du deuil d'un être cher. Je vous propose de donner la parole à une première auditrice qui souhaite nous faire part de son expérience. Bonsoir, Molly.

— Bonsoir.

— Alors vous, c'est votre meilleure amie que vous avez perdue, c'est ça ?

— Oui. Elle est décédée d'un cancer l'année dernière. Elle n'avait même pas trente ans. Nous étions amies depuis l'âge de six ans et elle me manque chaque jour.

— J'imagine combien cela a dû être dur. Et si vous nous appelez, c'est pour nous raconter comment vous êtes parvenue à surmonter cette perte.

— Voilà. Marie, c'était son prénom, savait qu'elle allait mourir et, juste avant, elle m'a fait promettre de vivre pour elle. Vivre pleinement. Après son enterrement, j'ai reçu douze lettres de sa part dans lesquelles elle me demandait de réaliser des choses qu'elle aurait voulu faire mais qu'elle n'a pas pu, faute de temps.

— Ça me fait penser à un film, votre histoire.

Et ça m'est familier aussi pour une autre raison, mais il me faut quelques minutes pour me souvenir. Cette fille, c'est sûrement l'ex de Germain[1] !

— Oui, elle a eu l'idée après qu'on a regardé ensemble *PS, I love you.*

— Et vous avez réagi comment quand vous avez reçu ces lettres ?

— Ça ne m'a pas étonné d'elle. Par contre, mes proches ont eu du mal à comprendre. Ils trouvaient que c'était glauque. Pourtant, ça m'a aidée à faire mon deuil. Un an plus tard, je lui en suis reconnaissante. C'était comme un cadeau de sa part pour m'aider à vivre sans elle.

— Merci beaucoup pour votre appel, Molly.

L'émission se poursuit, j'alterne entre les échanges avec l'invitée et les séquences avec les auditeurs. Je me détends au fur et à mesure et termine parfaitement à mon aise.

— Je vous remercie infiniment, madame Vladimir, d'avoir participé à cette émission et je rappelle le titre de votre livre : *Faire son deuil pour les Nuls. Il est parti, pourquoi je ressens ça ?* aux éditions Chimel

1. Si après ça vous n'avez pas envie de lire *Tu as promis que tu vivrais pour moi…*

Falon. Merci d'avoir été si nombreux à vouloir témoigner sur ce sujet difficile. Prenez bien soin de vous. On se retrouve demain avec un thème beaucoup plus léger : « *Dis-moi comment tu ris, je te dirai qui tu es*. »

Le jingle de l'émission retentit et je retire mon casque, euphorique d'avoir vécu ce moment et de m'en être sortie. Je remercie chaleureusement Mme Vladimir et nous parlons de Moune pendant quelques minutes. Une fois seule dans le studio, je rassemble mes affaires et cherche Emma du regard. Celle-ci est toujours de l'autre côté de la vitre, je la rejoins.

— Alors ? Comment tu m'as trouvée ? Tu penses que les auditeurs se sont rendu compte de quelque chose ?

— Tu… Tu as été parfaite. Impossible de deviner quoi que ce soit. Mais, Maxine…

— Mais quoi ?

Je sens qu'elle va me reprocher d'avoir parlé de ma vie privée. Je prépare mentalement mes arguments.

— Tu es sûre que c'est d'amnésie que tu souffres ?

— Oui… Pourquoi ?

— Tout à l'heure, quand tu as parlé de ta grand-mère…

— Je sais ce que tu vas me dire, habituellement je ne parle pas de ma vie privée, mais en écoutant les enregistrements, il m'a semblé que ça pouvait être bien justement de…

— Ce n'est pas ça, le souci. Mais Moune… Ta grand-mère… n'est pas décédée, Maxine…

Chapitre 29

Je suis sonnée par cette révélation.

— Pardon ?

— Tu n'as pas seulement oublié des choses, reprend-elle, tu en inventes aussi manifestement. Tu as dit que ta grand-mère était morte, mais elle est tout ce qu'il y a de plus vivante !

— Tu… Tu en es sûre ? je demande, les yeux remplis de larmes.

— Aussi sûre que tu es en face de moi en ce moment. Tu as dîné avec elle, il y a deux mois. Tu l'as emmenée au restaurant.

Je porte la main à ma bouche pour retenir le cri qui monte à mes lèvres.

— C'est… Ce n'est pas possible…

— Eh, Maxine, ça va ? Tu es toute pâle, d'un coup. Tu devrais t'asseoir une minute. Tu pensais réellement que Moune était décédée ? poursuit-elle après m'avoir installée sur l'une des chaises du studio.

Je me souviens distinctement du jour de son enterrement, mais je ne peux évidemment pas le lui dire. Alors oui, je suis sûre qu'elle est morte dans ma vraie vie. Mais dans celle-ci… Ma grand-mère que j'ai tuée en voiture serait vivante ici ?

Machinalement, je passe la main sur ma cicatrice et la retire brusquement. Curieusement, hier, je ne me suis pas vraiment posé de questions en constatant qu'elle n'était plus là. Des tas de raisons pouvaient expliquer son absence, à commencer par la plus simple : la chirurgie esthétique. Il y avait trop de choses à assimiler. À aucun moment je ne me suis dit qu'il était possible que je n'aie jamais eu de cicatrice parce que je n'avais jamais eu d'accident. Et que Moune n'était pas morte ce soir-là.

J'aurais pourtant dû faire les liens. Je ne suis pas devenue professeure, je n'ai jamais rencontré Samya et Audrey. Je ne suis donc pas allée voir Audrey sur scène avec Moune.

Moune est en vie.

Chapitre 30

J'ignore comment j'ai réussi à rentrer à l'appartement. Comment j'ai réussi à me démaquiller, à ôter mes vêtements, à m'allonger pour dormir. Moune, ma grand-mère que j'aimais tant, que j'aime tant, est vivante.

Heureusement, Jasper était déjà endormi lorsque je suis rentrée de la radio. Je ne sais pas si j'aurais été capable de soutenir la moindre conversation.

Hier, il était trop tard pour me rendre chez elle, mais ce matin je m'y suis précipitée dès mon café avalé. Pourtant, maintenant que je suis garée devant chez Moune, que j'ai attendu toute la nuit cet instant, je suis soudain incapable de sortir de la voiture.

Et si tout ça n'était qu'une mauvaise blague ? Cette vie d'animatrice radio est déjà tellement surnaturelle qu'il n'est pas impossible qu'entre hier et aujourd'hui tout ait de nouveau changé.

Lentement, après plusieurs minutes, je sors et me dirige vers la maison. J'inspire un grand coup et je sonne, essayant de me préparer mentalement à voir apparaître derrière la porte une parfaite inconnue qui me sourira en me demandant si elle peut faire quelque chose pour moi, ou une personne suspicieuse qui menacera d'appeler la police. Malgré tout, je ne parviens pas à faire taire cet espoir fou. Et si elle était bien vivante ? Et si ce cadeau m'était fait de pouvoir de nouveau passer du temps avec ma grand-mère ? Et si…

— Oui ?

La porte s'est ouverte, et c'est bien elle qui se tient devant moi sur le seuil. Celle qui me manque tant depuis près de trois ans. Elle paraît à peine plus âgée que dans mon souvenir. Peut-être quelques rides de plus et quelques centimètres en moins.

Passé la stupeur, je fais pour de vrai ce qui n'était possible qu'en rêve : je me jette dans ses bras.

— Moune !

— Eh bien ma minette, on dirait que tu ne m'as pas vue depuis des mois !

Deux ans, dix mois, vingt-six jours, pour être tout à fait exacte. Incapable de retenir mes larmes, je les laisse couler et resserre un peu plus mon étreinte.

— Tu me fais peur. Il est arrivé quelque chose ?

Évidemment, pour elle il n'y a rien d'anormal. Nous avons dîné ensemble il y a deux mois, m'a dit Emma, sans doute que depuis nous avons également papoté au téléphone.

Mais pour moi, c'est un tsunami d'émotions. Je m'écarte d'elle pour graver cette scène dans ma mémoire. Pour le cas où je me réveillerais en sursaut ou je ne sais quoi d'autre.

— J'ai… J'ai eu une dure journée hier. Je me suis dit ce matin en me réveillant que j'aurais bien besoin de tes fameux pancakes.

Elle éclate de rire. Ce rire qui n'appartient qu'à elle et dont le son avait fini par s'estomper de mes souvenirs, ceux-là mêmes dont j'ai dû faire croire qu'ils avaient disparu.

— Des pancakes ?! Eh bien, tu as vraiment dû passer une très mauvaise journée pour ne pas penser à ta ligne et à toutes ces idioties de calcul de calories. Je crois que la dernière fois que je t'en ai fait, c'était il y a plus de quatre ans.

Encore une chose à laquelle j'ai renoncé, apparemment. Une de plus sur la longue liste de ma nouvelle vie.

Mais pour le moment, je savoure l'incroyable, Moune est vivante, et c'est tout ce qui compte.

Je la suis à l'intérieur, aussitôt assaillie par toutes ces odeurs si familières. La maison est telle qu'elle était lorsque maman s'y est rendue la dernière fois pour la vider. Maman… Il faut absolument que je l'appelle pour lui dire que Moune est vivante !

Mais non, suis-je bête : dans cette vie-là, Moune n'est pas morte ; il n'y a donc que moi qui ai vécu ce drame. Tout ça commence à me donner mal à la tête. Est-ce que ça veut dire que mes parents ne sont pas partis vivre au Canada ? Je classe cette question dans un coin de mon esprit, me promettant d'en trouver la réponse dès que possible.

— Tu es sûre que tu ne me caches rien, ma brioche ?

J'ai toujours détesté ce surnom de « brioche » qu'elle m'avait donné parce qu'elle trouvait qu'à la naissance j'en avais l'odeur, mais aujourd'hui il sonne comme le plus doux des mots.

— Ça me fait plaisir de te voir, tu sais, Moune. Tellement plaisir.

— Moi aussi. Avec ta carrière et ton mari, c'est de plus en plus rare. Mon amie Suzanne m'a raconté qu'à cause de son travail sa fille avait fait un burn août, alors qu'on était en juin ! Je te le répète chaque fois, mais la famille, c'est important. Tu devrais faire attention à ne pas l'oublier. Après tout, je ne suis pas éternelle, et ce malgré toutes ces pilules que j'avale consciencieusement chaque matin et qui me promettent de vivre jusqu'à cent vingt ans. Le tout en dépit du bon sens et de mon compte en banque.

Elle rit de nouveau. C'est comme si elle n'était jamais partie, son ironie et son sens de l'humour sont intacts.

— Oui, tu as mille fois raison, Moune. J'ai décidé que les choses allaient changer. Toi et moi, on a du temps à rattraper.

Elle n'a aucune idée du véritable sens de ma phrase, mais elle me sourit. J'ai retrouvé ma grand-mère et je compte bien ne plus jamais la laisser s'en aller.

— Et sinon, tu as vu ta sœur récemment ? m'interroge-t-elle. Toutes les deux, vous étiez si proches.

Étiez ? Cette conjugaison à l'imparfait est un nouveau coup à encaisser. Après Samya et Audrey, ma sœur. Pour quelles raisons suis-je à ce point différente ici ? À quel moment les choses ont-elles changé ?

Chapitre 31

Il est tard lorsque je rentre chez moi. Je suis fatiguée, mais j'ai passé l'une des meilleures journées de ma vie.

Ça sent divinement bon dans l'appartement. Huile d'olive, tomate, basilic et pain chaud. Jasper est en train de cuisiner et la table est mise. Il a sorti le grand jeu, des bougies d'ambiance et un magnifique bouquet de roses trônent sur le bar.

— Penne à la Jasper ! m'annonce-t-il lorsque je m'approche pour l'embrasser, encore un peu timidement.

— Ça tombe bien, j'ai une faim de loup, je lui réponds en lui adressant mon plus grand sourire.

— Ça fait plaisir de te voir plus détendue, la journée a été bonne ?

— Encore mieux que ça ! Je suis allée voir Moune ce matin et elle m'a fait des pancakes.

Évidemment, je ne lui dis pas à quel point c'était magique pour moi de parler avec ma grand-mère morte depuis presque trois ans.

— Des pancakes ? Je ne savais pas que tu aimais ça… Toi qui me répètes continuellement de ne pas mettre trop d'huile d'olive dans mes plats pour ta ligne.

— Oui, eh bien, ce matin, j'en ai eu envie. Et j'ai toujours adoré ceux de Moune. Elle… Elle me manquait, j'avais envie de la voir.

— Mais tu n'as pas dîné avec elle il y a deux mois ?

— Tu sais bien que je ne me souviens de rien ! Et d'ailleurs, j'aimerais savoir pourquoi je vois si peu ma grand-mère, alors qu'elle habite la ville d'à côté ! Tu trouves ça normal ?

J'ai haussé le ton malgré moi. Je lis de l'incompréhension dans le regard de Jasper.

— Je suis désolée. Je n'ai pas à m'énerver contre toi. Tu n'y es pour rien. C'est juste que j'adore ma grand-mère et que je suis triste parce qu'elle et moi on ne se voit pas.

— Tu ne te rappelles rien, et pourtant tu te souviens d'elle… Et pas de moi.

Très juste, Jasper, très juste. Celle-là, je ne l'avais pas vue venir.

— Le neurologue a dit que les amnésies ne touchaient la plupart du temps que la mémoire immédiate… Ça m'a l'air délicieux, ce que tu nous prépares.

Ou l'art de détourner l'attention et de changer de sujet. Il faut vraiment que je fasse gaffe à ce que je dis.

Alors que Jasper remplit nos assiettes en silence, j'en profite pour lui raconter le reste de ma journée.

— J'ai rencontré Florence Foresti cet après-midi à la radio ! Si tu savais comme elle est sympa. Et tellement drôle. J'ai cru que je n'allais pas pouvoir m'arrêter de rire. Il faut absolument que je raconte ça à Audrey, elle en est fan.

— Audrey ?

Là, tout de suite, je ne souhaite qu'une seule chose : m'étouffer avec une penne à la Jasper.

— Oui, Audrey, une… une stagiaire qui bosse avec nous. Elle… Elle n'était pas là aujourd'hui. Mais Emma m'a dit qu'elle était fan. Alors il faudra que je lui raconte. Et sinon, toi, ta journée ? Tu as défendu des assassins ?

— Je suis fiscaliste, Maxine.

Je crois que je vais me concentrer sur mon assiette, ce sera mieux.

Le repas terminé, je m'installe sur le canapé pendant que Jasper débarrasse et range la cuisine. Il n'a pas voulu de mon aide et je n'ai pas trop insisté. Sur la table basse se trouve toujours l'album photo que j'ai feuilleté il y a deux jours. Je le reprends pour de nouveau regarder les photos de mon mariage. Voilà pourquoi je n'ai pas pensé que Moune pouvait être en vie. Elle n'apparaît nulle part. Comme d'habitude. Avec son refus catégorique de figurer sur le moindre cliché.

— Tiens, chérie, je t'ai préparé une infusion, m'interrompt Jasper en me tendant un mug fumant.

— Oh, merci, c'est adorable.

Je ne vais peut-être pas lui dire tout de suite que je déteste les tisanes, ça va faire trop pour une seule soirée. Je porte donc la tasse à mes lèvres. Miam, de la flotte chaude à peine aromatisée. Un vrai délice. Ma vie contre un mocaccino.

— Jasper ?

— Oui ?

— Je me demandais… L'autre soir, quand j'ai dit que j'avais quelque chose à t'annoncer. Tu… Tu as eu une drôle de réaction. Tu m'as demandé si j'étais enceinte sur un ton, disons, un peu agressif.

— Oui, je suis désolé, je n'aurais pas dû réagir comme ça. Mais tu sais…

— Non, justement, je ne sais pas, Jasper.

Il se lève brusquement du canapé pour aller épousseter de la poussière imaginaire sur un cadre.

— Je ne veux pas d'enfants, Maxine. Je ne sais pas si ça fait partie de ton amnésie ou non, mais je te jure que je ne te l'ai jamais caché. Quand nous avons décidé de nous marier, les choses étaient claires, il n'y aurait que nous deux. Pas d'enfants. Et tu l'as accepté. Enfin, tu l'avais…

— Mais pourquoi ? Je veux dire, nous semblons heureux et nous n'avons pas de problèmes d'argent. Un enfant, ça ferait de nous une famille, et je suis certaine que…

— Une famille ? Je me demande si mon père se posait ce genre de questions quand il me frappait parce que je faisais trop de bruit en jouant dans le salon ou qu'il m'enfermait dans un placard pour me punir. Toi et moi, on n'a pas eu la même famille, Maxine, encore une chose que manifestement tu as oubliée.

Déstabilisée, je ne suis pas sûre d'avoir les bons mots, alors je me lève pour me blottir contre lui. Nous restons enlacés silencieusement pendant quelques minutes.

— Je… Je ne veux pas prendre le risque d'être comme lui, Maxine. Jamais.

Lorsque je lève les yeux vers lui, il semble perdu dans ses souvenirs douloureux.

Longtemps après que Jasper s'est endormi, je pense encore à ce qu'il m'a raconté. C'était visiblement pénible pour lui de devoir de nouveau évoquer cette enfance dont à l'évidence il m'avait déjà parlé. Mais j'avais besoin de comprendre son refus catégorique de paternité. L'image de son père détruisant une à une toutes ses constructions de Lego ne quitte pas mon esprit. Il devait regarder sans pleurer et sans prononcer le moindre mot, m'a-t-il dit, parce que sinon son père s'attaquait à ses autres jouets, ceux qu'ils ne pouvaient pas remonter.

Il avait fini par ne plus rien construire du tout, se contentant de s'amuser avec les briques seulement, puis de ne plus jouer du tout.

Il avait vécu ce quotidien jusqu'à l'âge de quatorze ans. Avec parfois quelques semaines de répit, pendant lesquelles le petit garçon qu'il était se prenait à espérer que son père avait changé et que peut-être il allait commencer à l'aimer. Sa mère avait finalement trouvé la force de le quitter. Une nuit, elle l'avait réveillé et ils étaient partis pour un foyer d'accueil d'urgence. Il n'avait rien pu emporter, à part une brique de Lego rouge qu'il gardait dans sa main pour s'endormir malgré son âge.

Avec sa mère, ils avaient vécu de foyer en foyer jusqu'à ce qu'elle retrouve confiance en elle. Ils sont alors partis s'installer dans une ville de province, loin de là où il avait grandi.

Il s'était dès lors juré de ne jamais avoir d'enfants. À plusieurs reprises lors de notre discussion, Jasper m'a répété qu'il me l'avait dit dès le départ, que j'avais accepté la situation et que par amour pour lui j'avais renoncé moi aussi à l'idée d'avoir des enfants. La Maxine de cette vie-là peut-être. Mais pour celle que je suis à cet instant, la Maxine qui aime les enfants, la Maxine qui éprouve autant d'agacement que d'affection pour ses élèves ; pour cette Maxine-là, cela paraît juste intenable.

Je repense à Inès, à ses éclats de rire, à sa façon de se nicher au creux de mon cou lorsque je la prends dans mes bras pour un câlin, c'est chaque fois un shoot d'amour. Elle qui n'est même pas ma fille.

Alors que le sommeil de Jasper est agité, je comprends qu'il sera inutile ne serait-ce que d'essayer de le faire changer d'avis.

Je me remémore ce que j'ai décidé après mon passage au Blues Pub : regarder devant, accepter cette nouvelle vie comme une chance.

Il n'y a donc pas d'alternative, pas d'échappatoire, cette vie sera donc sans enfants. Je n'ai plus qu'à l'accepter.

Chapitre 32

Je ne suis pas surprise de me réveiller seule dans notre lit le lendemain matin. J'ai entendu Jasper se lever vers 5 heures et quitter l'appartement à peine une demi-heure plus tard. Je m'en veux de l'avoir contraint à me parler de son père. Tout ça à cause de cette réalité parallèle dans laquelle j'ai été propulsée. Ce n'est pas juste pour lui de perdre la femme qu'il connaissait.

Je me lève et me dirige vers la cuisine pour me préparer une grande tasse de café. Sur le bar, il a laissé un petit mot : « Je t'aime. Ne l'oublie pas. »

Je caresse la feuille du bout des doigts. Je n'ai aucun doute sur la sincérité de son amour. Et curieusement, je n'ai aucun doute sur l'amour que la Maxine d'ici ressent pour lui. La chaleur qui m'envahit lorsqu'il me regarde ne trompe pas. Je suis éperdument amoureuse de mon mari. Au point que j'ai renoncé à la maternité.

J'ai soudain besoin de parler de tout ça à quelqu'un. Quelqu'un qui me connaisse vraiment. J'interdis à mon esprit de se tourner vers ma vie d'avant, dans laquelle il y avait Audrey et Samya, pour me concentrer sur celle qui est maintenant la mienne, et dont elles ne font pas partie.

Un détail qui m'a chiffonnée la veille à la radio me revient en mémoire. Je me lève pour sortir mon agenda de mon sac. Je tourne les pages et je saisis ce qui m'a échappé. Il n'y a aucun rendez-vous chez le dentiste. Aucune trace de mes séances bimensuelles de bavardage avec Laetitia.

Ça colle avec ce que je sais de ma nouvelle vie, une vie où l'activité professionnelle prend beaucoup de place, une vie que je construis avec un mari qui n'a pas pour la famille le même attachement que moi. Après notre discussion d'hier, je comprends les raisons qui le poussent à être sur la réserve quand il s'agit de parler des miens. Il n'avait que sa mère, et elle est décédée d'un cancer il y a quelques années, m'a-t-il dit. Peut-être est-ce pour cela que je me suis moi-même éloignée de mes proches ? Par amour pour lui, une fois encore.

Cela ne fait également que confirmer, hélas, le « vous étiez si proches » prononcé par Moune…

Je referme mon agenda pour ne plus voir ces pages que j'aurais voulu différentes.

Après une douche rapide, j'enfile la tenue la plus décontractée que je trouve dans mon dressing. Je ne dois pas retrouver Emma à la radio avant le début d'après-midi. J'ai donc largement le temps de me rendre au cabinet de Laetitia pour y trouver des éléments de réponse.

— Bonjour, madame, que puis-je faire pour vous ?

Je m'étais préparée à un accueil réservé de la part d'Anne, mais pas à ce qu'elle ne me reconnaisse absolument pas.

— Euh… Anne, c'est moi. Maxine. La sœur de Laetitia.

Son regard s'illumine soudain, et un grand sourire éclaire son visage. L'étau qui me serre le cœur depuis ce matin se desserre un peu.

— Vous ne seriez pas animatrice sur Europe 1 ?

Ne pas pleurer. Ne pas pleurer.

— Vous êtes la sœur de Laetitia ? Je ne savais pas. Je vous écoute souvent à la radio. J'adore ce que vous faites.

Sa surprise répond à l'une de mes questions, je ne suis jamais venue ici.

— Pourriez-vous dire à ma sœur que je suis là ?

Pendant les vingt minutes que je passe dans la salle d'attente, je me demande, une nouvelle fois, comment il est possible d'être à ce point différente.

Je suis devenue journaliste et non professeure, c'est juste un autre métier. Et pourtant tout, absolument tout, est modifié. Pas seulement les gens mais aussi mon rapport aux autres. Tout ce qui avait de l'importance – *a* de l'importance – pour moi semble s'être dilué dans le jus d'une carrière professionnelle et d'un mariage en vase clos.

— Maxine ? Il y a un souci ?

Laetitia est telle que dans mon souvenir. Même coupe de cheveux, même look, même corps. Quelque part, ça me rassure. Je m'étais préparée à la découvrir complètement différente, avec des cheveux rouges et des tatouages partout.

— Non, pourquoi ? J'avais juste envie de venir voir ma sœur.

Elle ne peut cacher sa surprise, confirmant, si besoin était, qu'il n'a jamais été question dans cette vie de détartrages dentaires bimensuels.

— J'ai un patient qui a annulé ce matin, j'ai quelques minutes si tu veux.

Je la suis dans le couloir tandis qu'elle se dirige vers son bureau. Je m'installe sur l'une des chaises et regrette instantanément le confort de mon fauteuil hydraulique préféré.

— Tu n'es pas à la radio aujourd'hui ? m'interroge-t-elle.

— Si, cet après-midi. J'avais quelques heures devant moi et j'ai eu envie de venir te voir.

Elle hausse les sourcils, sceptique.

— Je suis allée rendre visite à Moune hier aussi et elle m'a rappelé que la famille était importante.

Devant son air désespérément fermé, je balance tout à trac :

— Je ne peux pas vraiment t'expliquer pourquoi, et d'ailleurs tu ne me croirais sans doute pas si je te l'expliquais, mais j'ai réalisé que ces derniers temps je n'étais pas totalement moi-même, que je n'avais pas fait suffisamment attention à ce qui compte vraiment. Alors, me voilà…

Pour ponctuer cette phrase improvisée et tout aussi confuse, je lui souris timidement, espérant un signe encourageant de sa part. Un instant plus tard, soulagée, je vois ses traits se détendre.

— Comment va Jasper ?

— Bien. Il vient de rentrer d'un voyage à l'étranger. Et toi, tu as eu des nouvelles de Julien récemment ?

— Oui. Ça a l'air d'aller. Mais tu connais Julien : de toute façon, s'il allait mal, il ne nous dirait rien.

— Et si on se faisait un dîner avec lui un soir de la semaine ? Tu pourrais nous cuisiner ton fameux poulet au curry.

Soudain, l'envie de dîner avec mon frère et ma sœur me brûle l'estomac. Comme un manque à assouvir. Je sais que je me suis promis de regarder devant, d'accepter le cours de cette vie, mais ce sont mon frère et ma sœur… Au fond, il n'y a pas de mal à rétablir des liens qui existaient et qui se sont juste un peu distendus.

— Euh… Ce serait avec plaisir mais Julien est à mille kilomètres d'ici, je te rappelle. À mon avis, ça fait un peu loin pour un dîner.

Mille kilomètres ?! Mais comment est-ce possible ? Je prends quelques secondes pour réfléchir et je me souviens. Juste avant la mort de Moune, il était question qu'il parte s'installer dans le Sud. Après l'accident, il était resté pour prendre soin de moi et finalement n'était jamais parti.

Moune vivante, rien ne le retenait. Alors, il a déménagé. Logique.

C'est cet événement tragique qui nous a soudés.

Moune est ici en vie, comment pourrais-je ne pas en être heureuse ? D'un autre côté, je ne peux m'empêcher d'être amère de constater qu'on n'est pas foutus, Laetitia, Julien et moi, de s'aimer de la même manière.

— Ah oui, c'est vrai, suis-je bête. Un instant, j'avais oublié qu'il était si loin…

— Peut-être que cette année, on pourrait le convaincre de remonter pour Noël ? reprend-elle. Je sais que cette période est toujours chargée pour lui, avec toutes ces personnes déprimées par les fêtes. Mais si tu te joins à moi, on pourrait lui mettre la pression…

— Compte sur moi ! je la coupe, sans doute avec un peu trop d'empressement.

Un repas de famille avec ma sœur, mon frère, ma grand-mère et mes parents : rien que d'en parler, j'en ai les larmes aux yeux.

— Et sinon, tu as eu papa et maman au téléphone récemment ?

Il faut que je sache s'ils sont partis au Canada ou pas. Si le fait que Moune n'est pas morte a aussi eu un impact sur eux.

— Aux dernières nouvelles, ils sont au Pérou.

— Au Pérou ? je rétorque, incapable de cacher ma surprise.

— Leur voyage autour du monde… Le cadeau qu'on leur a offert pour leurs cinquante ans de mariage… Ils sont partis il y a trois semaines. Tu es sûre que ça va, Maxine ? Tu es toute bizarre. On dirait que tu débarques d'une autre planète.

D'une autre planète, non. Mais d'une autre vie, ça c'est certain.

— Oui, oui, je vais bien. Je suis juste un peu fatiguée. C'est la folie en ce moment à la radio. D'ailleurs, il va falloir que j'y aille. Je ne vais pas te retarder plus longtemps.

— Ça me fait plaisir, tu sais… De te voir. Ma… Ma petite sœur me manque.

Elle a sorti cette phrase d'une voix minuscule. Comme si elle avait presque peur de la prononcer ou craignait ma réaction. Comment nos liens ont-ils pu se distendre à ce point ?

— Et si je prenais officiellement rendez-vous pour, disons, dans quinze jours ? On aurait le temps de papoter. Qu'en dis-tu ?

Oui, mes vies sont différentes. Si j'ai choisi d'enfouir certains aspects et si d'autres m'échappent aujourd'hui complètement, je peux au moins rétablir les liens que j'avais avec ma sœur.

— Tu seras bien la seule personne à prendre plaisir à venir chez le dentiste, réplique-t-elle, visiblement amusée et ravie de ma proposition.

Alors que je m'apprête à me lever, je me rappelle que j'ai une question importante à lui poser.

— Dis, Laetitia, tu te souviens du jour où j'ai passé mon concours pour entrer à l'école de journalisme ?

— Tu parles si je m'en souviens ! C'est ce jour-là que je me suis cassé la cheville. Tu avais oublié ta carte d'identité à la maison, je suis retournée la chercher pour toi et c'est en sortant à moitié en courant que j'ai loupé la marche. Pourquoi ?

— Pour rien… J'y repensais ce matin, c'est tout. Bon, on se cale ce rendez-vous ?

Sa réponse me confirme l'hypothèse que j'avais en tête. Il est donc là. Le point de bifurcation du temps. Ce n'est pas moi qui suis retournée chercher ma carte d'identité, mais Laetitia. Et c'est aussi elle qui s'est cassé la cheville. J'ai donc pu aller passer mon concours. C'est à partir de là que ma vie a suivi un cours différent.

De telles différences pour un si petit détail. Enfin, sauf pour la cheville de Laetitia.

Alors que je quitte le cabinet de ma sœur et me dirige vers la radio, je ne peux m'empêcher de penser à cet accident et au fait que la vie de Laetitia, elle, paraît identique à celle que je connais. Comment cela a-t-il pu changer autant de choses pour moi et apparemment si peu pour elle ?

Novembre

Chapitre 33

Les journées s'enchaînent à une vitesse vertigineuse. J'essaie de jongler entre l'enregistrement des émissions de radio, les séances de travail interminables pour les préparer, les cocktails de représentation où il me faut parler à un tas de gens qui donnent l'impression d'être intimes avec moi, alors qu'Emma m'apprend souvent que c'est la première fois que je les vois.

Même si je passe de bons moments et qu'évoluer dans ce milieu est agréable, autant de superficialité et de faux-semblants me déroutent quelque peu. Il faut dire qu'être professeure au lycée de Savannah-sur-Seine ne m'avait guère préparée à cet univers.

« C'est important pour ta carrière », me répète inlassablement Emma. Je vais finir par vomir ce mot.

Au milieu de toute cette frénésie, j'essaie aussi de passer du temps avec Jasper. Il aime sortir. Dès que nos agendas sont sur le même alignement cosmique, nous avons un fichier partagé qui nous permet de bloquer des créneaux dans l'emploi du temps de l'autre ; nous sortons dîner au restaurant ou écouter un concert dans un club de jazz. Je n'ai pas encore osé lui dire que le jazz, c'est agréable, mais qu'à choisir je préférerais passer une soirée devant un écran de karaoké. Encore moins que j'adorerais l'emmener dans un endroit de ce genre. Jasper est raffiné et je sens bien qu'il serait à l'aise dans une soirée karaoké comme une femme qui fait du 46 dans une robe taille 36.

Pas évident au milieu de tout ça de caser Moune ou ma sœur. Mais je m'y efforce.

Après quelques semaines à peine dans la peau de cette Maxine star de la radio, je comprends mieux comment elle en est arrivée à ne presque plus voir sa famille.

Emma est perpétuellement sur les nerfs parce que j'écourte dès que je le peux les séances de travail et que je m'appuie beaucoup sur elle pour préparer mes dossiers et mes fiches. Elle est cependant d'une efficacité redoutable, et j'ai de plus en plus de mal à accepter qu'elle s'accroche à ce poste d'assistante. Comme chaque fois que je repense à la réaction de son mari, et au fait qu'il lui ait fait payer sa demande de divorce, je suis indignée. Comment peut-on être à ce point stupide dans le monde de la presse pour se priver de quelqu'un qui a de telles compétences ? Le pouvoir des hommes dans ce milieu est encore plus grand que je ne l'aurais cru.

Si Jasper semble surpris de ma subite lubie familiale, il n'en dit rien. Comme nous n'avons pas réabordé le sujet douloureux de son passé et de son non-désir d'enfants, nos soirées sont plutôt agréables. Il me raconte ses journées, je fais semblant de trouver passionnantes des histoires de prescription, de biens fiduciaires et de seuils d'exonération. Nous n'évoquons pas non plus mon « amnésie ». Je fais comme si tout était normal, y compris le soir au lit quand il me fait l'amour. J'avais un peu d'appréhension, mais elle a très vite cédé la place aux habitudes de mon corps dans cette vie. Il savait ce dont il avait envie et ce qui plairait à Jasper. Je n'ai eu qu'à suivre le mouvement. Et le mouvement est plutôt fabuleux, je dois dire.

Aujourd'hui, j'ai profité de l'annulation d'un rendez-vous de travail pour foncer rejoindre Moune à son cours de pole dance senior. Jamais je n'aurais cru associer dans une même phrase pole dance et senior. Mais c'était compter sans Moune et son caractère fantasque. Ce qui était à l'état de projet dans ma précédente vie est ici devenu réalité.

C'est un cours qu'elle a contribué à créer il y a deux ans, m'a-t-elle expliqué. Parce que, après tout, argumente-t-elle avec passion, on peut toujours avoir envie d'émoustiller son mari, même en possession d'une carte Vermeil, y compris malgré l'arthrose, un problème de cataracte ou une prothèse de hanche.

Il faut absolument que je voie ça de mes propres yeux. Lorsque j'arrive essoufflée devant la salle de danse, elles sont une petite dizaine à attendre la professeure.

— Ah, ma brioche ! Je ne savais pas que tu allais venir !

— J'ai un rendez-vous qui s'est annulé, je réponds à Moune en l'embrassant. Alors, je me suis dit que j'allais venir te voir t'enrouler autour de ta barre.

Et filmer ça discrètement sur mon téléphone pour les soirs de déprime, ce que je me garde bien de lui avouer.

L'avoir retrouvée me rend tellement heureuse que j'ai renoncé à la reprendre sur le « brioche ». Je sens bien qu'elle trouve étrange que je ne relève pas, et comme pour m'obliger à réagir, elle ne m'appelle plus que comme ça désormais.

— Ça me fait plaisir que tu sois là. Viens, je vais te présenter aux filles.

À l'entendre, on s'attendrait à rencontrer des danseuses de trente ans aux cuissots fermes et aux seins qui tiennent tout seuls. C'est presque ça. Presque…

Entre Henriette, soixante-dix-huit ans, moulée dans un legging rose fluo taille 52, justaucorps jaune et bandeau sur mise en plis tirant sur le violet, Madeleine, soixante-dix ans et ses doubles prothèses de hanche, et Liliane qui tente de faire des assouplissements mais dont les mains peinent ne serait-ce qu'à toucher ses genoux : c'est une fine équipe que j'ai en face de moi.

Pourtant, il émane d'elles une joie de vivre que beaucoup de trentenaires que je croise en soirée leur envieraient. Et c'est contagieux. Elles m'embrassent toutes chaleureusement, manifestement ravies de rencontrer la petite-fille de Moune, celle qui fait de la radio. Elles me posent mille questions sur les célébrités que je peux rencontrer, enfin, surtout sur les hommes aux cheveux gris tendance bedaine.

— Est-ce que Julien Clerc est aussi beau en vrai qu'à la télévision ? m'interroge Madeleine. Voilà bien un type qui ne dormirait pas dans la baignoire, si vous voyez ce que je veux dire, glousse-t-elle.

Je vois, hélas, très bien ce qu'elle veut dire… Comptez sur moi pour mettre toute mon énergie à faire disparaître cette image.

— Ah non, à choisir, moi, je prendrais Guy Marchand ! la contredit Henriette.

— Mais pourquoi choisir des vieux ? intervient Jocelyne, une femme qui doit frôler les quatre-vingts ans. Ils sont d'un tel ennui. Ce qu'il nous faut, c'est de la chair fraîche, les filles. Clint Eastwood, vous l'avez déjà rencontré, Clint Eastwood ? me demande-t-elle.

Nous sommes interrompues par l'arrivée de Manuela, la prof de danse.

Le gang des mamies pole danceuses se répartit autour des barres. De mon côté, je me dirige vers le fond de la salle pour apprécier le spectacle. J'ai dit « apprécier », pas « me moquer », ne me faites pas dire ce que je n'ai pas dit !

— Eh, vous là-bas, m'apostrophe Manuela, ici on fait de la pole dance. Ne me dites pas que vous n'avez pas le courage de vous mesurer à ces dames ?

— Mais oui, ma brioche, danse avec nous, tu vas voir, on s'amuse bien !

Je me dirige, aussi lentement que possible, vers la dernière barre disponible qui bien sûr se trouve être juste à côté de celle de Manuela. Pile en face du miroir. Histoire que je ne rate rien de mes acrobaties.

Après tout, me dis-je pour m'encourager, *il n'y a pas de quoi fouetter trois pattes à un chat ; si c'est possible pour Madeleine et ses doubles prothèses, je vais forcément y arriver*.

Manuela tient une télécommande. Elle appuie sur une touche, et soudain la lumière s'adoucit tandis qu'une musique énergique avec percussions et rythmes latinos envahit la salle. Si c'est ça qu'elles utilisent pour leur numéro de séduction au pied du lit, ces messieurs doivent frôler la crise cardiaque.

— C'est parti pour l'échauffement, scande Manuela. Des membres chauds sont des membres souples !

Pendant quinze minutes, nous enchaînons à un rythme soutenu les mouvements de jambes, de bras, pas chassés, pas de bourrée et autres pas de bol.

Qui peut bien être cette fille rouge cramoisi qui transpire à grosses gouttes que j'aperçois par intermittence dans le miroir ? Ah oui, c'est moi !

Je jette aussi de temps en temps un coup d'œil à mes nouvelles amies septuagénaires, uniquement par esprit de solidarité, cela va de soi, et pour m'assurer qu'aucune d'entre elles ne va nous claquer un vaisseau, mais elles semblent fraîches comme la rosée du matin. Elles doivent utiliser de la crème antirides au LSD, les tricheuses !

Après ces quinze minutes d'échauffement, Manuela change de disque pour un rythme plus langoureux. Voilà qui me convient mieux.

— Et maintenant, on s'approche de sa barre et on commence à faire des mouvements rotatoires tout autour, le plus sensuellement possible. Pensez à vos hommes, mesdames, pensez à vos hommes !

Je devrais songer à Jasper, mais c'est l'image d'Yliès, dont j'avais presque oublié l'existence, qui s'impose à moi sans crier gare. Yliès en salle de réunion, Yliès qui me sourit, Yliès qui me susurre des mots doux.

Je secoue la tête pour reprendre mes esprits. Je suis mariée à Jasper, je suis mariée à Jasper. Yliès appartient à une vie qui n'existe plus.

Je tente d'imiter les mouvements de Manuela. C'est assez facile, finalement. Confiante, je me tourne vers le miroir pour m'admirer. On dirait un cornichon qui cherche à s'enrouler autour d'un cure-dents.

Les choses se compliquent encore un peu quand il nous faut saisir la barre et nous y accrocher. Je lance mes bras, saisis la barre et enroule mes jambes autour, mais ce qui devrait rester en suspension s'affaisse inexorablement vers le sol. Foutue gravité.

Se lancer, saisir, s'enrouler… s'affaisser. Le tout dans un bruit de succion métallique tout sauf érotique. Une limace qui glisserait le long d'un carreau.

— C'est pas facile la première fois, m'encourage Liliane, perchée à près de cinquante centimètres du sol, les jambes bien accrochées à sa barre. Mais vous verrez, on apprend vite.

Se lancer, saisir, s'enrouler, s'affaisser.

Abandonner.

Mais avec grâce et la tête haute.

Gang des pole danceuses senior : 1.

Maxine : 0.

CHAPITRE 34

— Alors, ma brioche ? Qu'as-tu pensé de notre petite équipe de pole dance ? Tu as aimé le cours ?

— J'ai trouvé ça génial !

Oui, ces dernières semaines m'ont appris l'art du mensonge…

— Et tes copines sont adorables, j'espère que j'aurai leur énergie à soixante-dix ans.

— Tu sais, si on ne se prend pas en main, la société nous conduit à nous vautrer comme des larves dans nos fauteuils pour ne plus en bouger. Un tricot dans les mains et devant un téléfilm sur France 3. Moi vivante, jamais tu ne me feras regarder un épisode de *Derrick*. Tu m'entends, jamais !

— Je crois que ça n'est plus à l'antenne de toute façon, dis-je en rigolant. Au fait, tu viens souvent ici ? C'est sympa, j'adore l'ambiance.

Moune et moi sommes attablées dans un restaurant à la décoration américaine, sol à damier noir et blanc, banquettes en vinyle turquoise, tables métalliques. Au fond de la salle, il y a même un juke-box qui trône fièrement.

— Tu ne connaissais pas cet endroit ? m'interroge Moune.

C'est à cet instant précis qu'une alarme aurait dû s'allumer dans mon cerveau, mais après un cours de pole dance, celui-ci ne réagit plus qu'aux stimuli bassement organiques, comme des frites et un lit.

— Ah non, je ne connaissais pas du tout.

— Je le savais !

— Tu savais quoi ?

— Que tu me cachais quelque chose. Que tu n'étais pas toi-même, ces derniers temps. C'est toi qui m'as fait découvrir cet endroit, figure-toi, et il y a plusieurs mois déjà. Nous y sommes venues au moins une dizaine de fois.

Je manque de m'étrangler avec ma frite. Je m'apprête à lui faire le coup de la chute dans la douche et de l'amnésie, mais, à ma grande surprise, ce n'est pas cette explication-là qui sort de ma bouche.

— Je suis Marty McFly, Moune.

Voilà, c'est dit. Pas de la meilleure des manières, mais c'est dit. Je n'en peux plus de ne rien pouvoir raconter à personne, de ne pas pouvoir être complètement moi-même.

— Qui est Marty McFly ? Ah oui, je sais, c'est l'associé de ton mari ?

— Non, lui c'est Martin Méflail.

— Ah… C'est qui alors, ce type ? Je le connais ?

— Un personnage de film. *Retour vers le futur* ?

— Aaaaaaah oui, j'y suis !

Mais je devine à son regard qu'elle n'y est pas du tout…

— Tu l'as vu ?

— Non, pardon, ma brioche, désolée.

— C'est une histoire avec une voiture qui permet de voyager dans le temps.

— Donc… Ce que tu essaies de me dire c'est que… Tu viens du futur ?

Misère, on n'est pas rendues.

— Non. Mais comme pour lui, la ligne du temps a bifurqué pour moi. Bon, oublie *Retour vers le futur*. Tu vas me prendre pour une dingue, c'est sûr, mais tant pis. Voilà la vérité : je ne suis pas animatrice radio, je suis professeure de français dans un lycée. Je ne suis pas mariée, je vis en colocation avec une fille qui s'appelle Claudia et qui s'est donné pour mission de sauver la planète à coups de steaks de tofu et de torchons en fibres de soja. Mes deux meilleures amies s'appellent Samya et Audrey. Je vis à Savannah-sur-Seine.

Et tu es morte, je me retiens d'ajouter.

— Toi, tu t'es cognée à la barre de pole dance tout à l'heure !

— Si seulement… Je sais que ça paraît totalement dingue. Et, pour tout te dire, je ne sais absolument pas comment je me suis retrouvée ici. J'étais allongée dans mon lit, j'écoutais la radio et il y avait ce type venu parler de son roman. Le lendemain matin, quand je me suis réveillée, j'étais dans cette vie. Avec un mari et un job dont j'avais rêvé. Mais aussi sans mes meilleures amies et avec beaucoup moins de temps pour ceux que j'aime.

— Quand je t'ai dit que je savais que tu me cachais quelque chose, je pensais que tu allais m'avouer que tu te gavais de pilules pour ne pas grossir, et que ça te mettait dans un état second. J'avais même pensé que tu avais un amant. Après tout, la fidélité, c'est bon pour les moines, je l'ai toujours dit.

— Ah non, pas d'amant dans l'histoire.

— Si ce n'est que ça… Je connais un tas de monde, je peux te présenter des hommes si tu veux.

Malgré moi, j'éclate de rire. Il n'y a que Moune pour m'encourager à tromper mon mari.

— Non, merci, Moune, ça ira. J'ai découvert l'existence de Jasper il y a à peine quelques semaines. Alors sur le plan nouveauté sexuelle, j'ai ce qu'il faut, fais-moi confiance.

— Je crois qu'il va me falloir quelque chose de plus fort que cette eau pétillante, finalement, poursuit-elle.

Elle joint le geste à la parole et commande auprès du serveur un double whisky sans glace.

— Pour moi aussi c'est difficile à avaler. Me réveiller dans cet appartement inconnu constitue l'expérience la plus flippante de toute ma vie. Je ne suis pas la Maxine que tu connais, mais je suis bien moi.

— C'est vrai que, présenté comme ça, c'est beaucoup plus clair ! répond-elle avec un sourire malicieux.

— Si tu avais vu *Retour vers le futur*, ce serait plus simple, aussi ! Dès ce soir, tu me feras le plaisir de louer le film. Pour faire court, dans ma vraie vie, l'autre donc, le matin du concours pour l'école de journalisme, je me suis cassé la cheville. J'avais oublié ma carte d'identité et, en retournant la chercher à la maison, je suis tombée. Et comme tu m'as toujours bassinée avec tes signes du destin, je n'ai pas tenté ce fichu concours. À la place, j'ai fait des études pour devenir professeure de français. Pas d'école de journalisme, pas d'émissions de radio, pas de mari avocat fiscaliste.

Rien qu'un boulot de prof avec des élèves qui soupirent dès que je prononce le nom de Flaubert.

— Je les comprends, en même temps. Flaubert, c'est d'un chiant !

— Moune !

— Vas-y, continue.

— L'autre jour, je suis passée voir Laetitia et elle m'a raconté que dans cette vie-ci, celle que toi tu connais, ce n'est pas moi qui me suis cassé la cheville mais elle. Pas de signe du destin, école de journalisme, émissions de radio…

— Et un mari avocat fiscaliste.

— Voilà ! Tu vois, tu commences à t'y faire.

— Mais, si tu ne connaissais pas Jasper, comment tu lui as expliqué, à lui ? Tu lui as fait le coup de *Martine McMachin à la plage* comme ça aussi ?

— Moune !

Elle rit. Et malgré moi, je ne peux m'empêcher de sourire même si je lève les yeux au ciel.

— McFly, Marty McFly, je la reprends. Et pour Jasper, non, je lui ai fait croire que j'avais fait une chute dans la douche et que j'étais amnésique. C'est ce que j'ai raconté à Emma aussi. Je n'ai rien dit aux autres, j'ai fait comme si j'avais toujours été moi. Tu es la première à connaître la vérité.

— Ce n'était pas très convaincant, si je peux me permettre. Ces gens ne te connaissent pas si bien que ça. Moi, j'ai tout de suite flairé qu'il y avait un truc pas très net. Oh ! ça me fait penser à un autre film, ton histoire. Tu sais, celui où un petit garçon fait un vœu dans une fête foraine et se réveille adulte le lendemain.

Avec cet acteur, là, que j'adore et qui est physiquement intelligent. Un nom genre Bank, John Bank, je crois.

— Tom Hanks, Moune, il faut revoir tes classiques. Sauf que, moi, je n'ai pas fait de vœu. J'ai juste écouté une foutue émission de radio. C'est vrai que le roman parlait d'une fille à qui on proposait de vivre une autre vie que la sienne, et que j'ai trouvé l'idée géniale, mais…

— Hum…

— Bon, peut-être qu'à un moment ou un autre je me suis dit que ce serait chouette si ça pouvait être possible, un truc pareil. Rien qu'une toute petite minute. Mais je jure que je n'ai rien souhaité.

— Pas consciemment…

— Sans doute… Toute cette histoire est tellement bizarre. J'avoue, je me suis souvent demandé ce que serait ma vie si j'étais devenue journaliste, mais qui ne se pose pas ce genre de question ? Tiens, toi, tu ne t'es jamais demandé ce qu'aurait été ta vie si tu n'avais pas rencontré Papoune ? Si vous aviez pu passer plus de temps tous les deux avant son décès ?

— Si. Bien sûr que si, répond-elle d'une petite voix.

— Mes élèves me désespèrent et mes relations amoureuses ont la saveur de pâtes sans sel et sans beurre, mais je n'étais pas malheureuse…

— Et pourtant tu rêvais d'une autre vie ?

— Je…

— Tu vois.

— Je ne vois pas en quoi c'est mal d'avoir envie de savoir où on serait si on avait fait d'autres choix. Des tas de gens voudraient savoir, des tas ! Sauf que, moi, je le vis. Et que je ne sais ni comment, ni pourquoi, ni si c'est définitif.

Nous sommes interrompues par le serveur qui apporte à Moune son verre de whisky. Elle en boit une gorgée, puis une deuxième. Il lui faut au moins ça, j'imagine.

— Et sinon, dans ta vie d'avant, je suis comment, moi ? J'espère que je ne me suis pas laissée aller ! Pitié, ne me dis pas que je regarde *Les Feux de l'amour*, je ne vais pas le supporter.

Je sens mes muscles se crisper. Cette fois, il est temps, c'est le moment.

— Dans cette vie, tu es… Il y a trois ans, nous avons eu un accident de voiture. Tu es morte, Moune. Et c'est moi qui conduisais.

Chapitre 35

Elle reste silencieuse pendant deux longues minutes.

— Moune, ça va ? Je t'en prie, dis-moi quelque chose. N'importe quoi.

— *Les Feux de l'amour* me paraissent tout à coup moins effrayants…

J'essuie les larmes qui commencent à me monter aux yeux. Moune me prend la main.

— Il ne faut pas pleurer… Regarde, je suis tout ce qu'il y a de plus vivante.

— Si tu savais comme je m'en suis voulu, comme je m'en veux…

— Mais pourquoi ?

— J'étais au volant, c'est donc ma faute. Si j'avais pris une autre route, si nous étions parties, je ne sais pas moi, quelques minutes plus tôt ou plus tard, peut-être que tout aurait été différent.

— Avec des si…

— Les filles me le disent souvent. Cela dit, c'est parce que je ne me suis pas cassé la cheville que tu es là devant moi. Donc les si ont du bon parfois, ils t'ont gardée en vie.

— Oui, enfin, si ça se trouve, tout à l'heure, je vais traverser la route et me faire écrabouiller par un bus. On ne maîtrise pas tout et, à se demander tout le temps ce qui aurait pu être, on en oublie de vivre.

— Quand je me suis réveillée dans cette vie parallèle, il ne m'est même pas venu à l'idée que tu pouvais être en vie. Lorsque j'ai feuilleté l'album photo de mon mariage, je ne t'ai pas vue dedans. Je ne me suis même pas posé de questions. Sans doute ta phobie des photos, qui fait que tu n'es jamais sur aucun cliché, n'y est-elle pas étrangère.

Cela ne dure que quelques secondes, mais je vois ses traits se figer. C'est presque imperceptible, sauf pour moi qui la connais si bien. Je m'apprête à lui demander ce qui la chiffonne, mais elle ne m'en laisse pas le temps.

— Mais alors, comment as-tu su que je n'étais pas morte ? Jamais je n'aurais cru poser un jour cette question, rit-elle.

— Lors d'une émission sur le deuil, j'ai parlé du décès de ma grand-mère, de combien j'en avais souffert. Une fois l'enregistrement terminé, Emma m'a demandé si je m'étais uniquement cogné la tête parce que parler du deuil d'une grand-mère vivante, ça dépassait le stade de l'amnésie…

— Ah, c'était la veille des pancakes, non ? Quand tu t'es jetée dans mes bras ?

— Oui. Tu es décédée il y a trois ans. Alors, quand tu as ouvert la porte, j'étais tellement heureuse… Ça n'arrive jamais ce genre de trucs, en principe.

— Trois ans… Et Laetitia, Julien ? Ils vont bien dans ta vie ?

— Julien, Laetitia et moi sommes très proches. Bien plus qu'ici. Ta disparition nous a unis. Julien m'a beaucoup soutenue après ton décès. Pendant des mois. Il m'a aidée à travailler sur ma culpabilité.

— Il l'a fait à distance ?

— Non. Il n'est pas parti s'installer dans le Sud. Il en parlait, oui, et quand c'est arrivé il a décidé de rester.

— Une bonne chose.

— Mais non, tu ne peux pas dire ça ! C'est parce que tu es morte qu'il n'est pas parti, ça ne peut pas être une bonne chose.

Elle presse mes mains un peu plus fort.

— Si, c'en est une. J'ai bien vu vos liens se distendre ces dernières années, et si ma mort dans cette vie que tu décris peut avoir modifié ça, alors je m'en réjouis.

Devant mon air dubitatif, elle poursuit :

— Tu m'as dit tout à l'heure que tu avais beaucoup moins de temps pour les gens que tu aimais, tu faisais référence à ton frère et à ta sœur, j'imagine. Tu es triste de cette situation ?

— Oui, mais…

— Il n'y a pas de mais. Pour le coup, ça me donne presque envie de mourir. Presque, hein. Si possible, j'aimerais quand même avoir encore quelques jours, je n'ai pas fini de lire mon bouquin du moment. Une histoire que je te recommande, d'ailleurs.

Je ne peux m'empêcher de sourire. Moune a toujours su trouver les mots pour alléger l'ambiance et faire oublier le tragique.

Malgré tout, je ne sais pas si je serai un jour capable de me réjouir sans arrière-pensées des liens très forts qui m'unissent, ou m'unissaient, à Laetitia et à Julien. Parce que ce serait comme oublier ce qui en est à l'origine.

— Et… ta mère ? Mon décès vous a rapprochées aussi ?

Je réfléchis quelques secondes, afin de trouver les bons mots et ne pas lui faire trop de peine.

— Avec maman, c'est, disons, plus compliqué. Perdre sa mère, c'est sans doute pire que de perdre sa grand-mère. Et la distance ne facilite pas les choses.

— La distance ?

— Papa et elle sont partis vivre au Canada. Presque du jour au lendemain.

— Comment ça ?

— Quelques semaines après l'accident, maman a vidé ta maison et dans la foulée ils ont mis en vente la leur, sans nous prévenir. Ils nous ont ensuite annoncé qu'ils partaient au Canada, et moins d'une semaine après ils avaient plié bagage.

— Vous… Vous n'en avez jamais parlé ensemble depuis ?

— Pas vraiment. Laetitia et elle sont en froid. Laetitia ne comprend pas pourquoi maman est partie. Elle la trouve égoïste.

— Et toi ?

— Je crois que je comprends. Enfin, je vois à peu près ce qui a pu la pousser à agir comme ça et je ne peux pas le lui reprocher. Je les appelle de temps en temps. On parle de tout et de rien. Mais…

— Mais quoi ?

Cette fois, les larmes que j'ai pu retenir tout à l'heure sont les plus fortes. Je me mets à sangloter.

— Mais c'est difficile de côtoyer celle qui a tué sa mère, tu comprends. Je sais bien qu'elle m'en veut, même si elle ne m'a jamais fait aucun reproche. C'est pour ne pas courir ce risque qu'elle est partie, je le sens. C'est vraiment dur. Surtout que je sais que c'est ma faute. Je suis tellement désolée, Moune, tellement désolée.

Elle se lève de sa chaise pour me prendre dans ses bras.

— Pourquoi tu es désolée ? Il ne faut pas. C'était un accident, et un accident par définition n'est la faute de personne. Tu dis qu'elle a vidé ma maison et qu'ensuite elle a annoncé qu'elle partait ?

— Oui.

— Alors ça n'a rien à voir avec toi, ma puce, rien à voir. Fais-moi confiance.

Elle a prononcé cette phrase si bas que je peine à la comprendre.

Lorsqu'elle se rassied, elle est toute pâle. Je lis dans son regard une souffrance que je n'y avais jamais vue.

— Moune ? Ça ne va pas ? Il s'est passé quelque chose avec maman ? Pourquoi es-tu si sûre que ça n'a rien à voir avec moi ?

— Parce que je le sais.

— Et c'est tout ? Je dois me contenter de ça ?

— Oui. Je suis vraiment désolée, mais je ne peux pas t'en dire plus. C'est son histoire, c'est à elle de décider si elle souhaite la partager ou pas. Je suis désolée que tu aies pu penser que tu étais responsable de quoi que ce soit… Si j'avais su…

Chapitre 36

J'adore ma grand-mère, mais s'il y a bien une chose que je déteste chez elle, c'est son côté têtu. J'ai eu beau insister, poser des questions, essayer de la piéger, je n'ai rien pu en tirer d'autre. Elle est restée inflexible. Si quelque chose s'est passé avec maman, et j'ignore quoi, ce sera à moi de le découvrir.

Toutes les deux ont toujours eu des rapports un peu compliqués. Moune n'a pas la langue dans sa poche, c'est le moins qu'on puisse dire, et maman est quelqu'un de susceptible. Leurs conversations ont toujours été très tendues, une remarque un peu piquante par-ci, une réplique non moins mordante par-là. J'ai toujours trouvé qu'elles étaient différentes lorsqu'elles étaient ensemble. Elles s'aimaient, j'en suis certaine, mais sans savoir comment se le dire. Je pensais que c'était toujours comme ça entre une mère et sa fille. Aujourd'hui, je n'en suis plus si sûre.

Je pourrais peut-être téléphoner à maman et lui poser la question. Oui, sauf que dans cette vie-ci, elle n'est pas partie vivre au Canada sur un coup de tête. Elle n'a pas perdu sa mère dans un accident de voiture.

Elle ne peut donc pas m'expliquer ce qui, dans ma précédente vie, a tout déclenché. Puisque ce n'est apparemment pas pour mettre de la distance entre elle et moi, pour quelles raisons a-t-elle tout plaqué comme ça ?

Et puis je me souviens que de toute façon elle fait en ce moment le tour du monde.

Ce n'est que partie remise, je compte bien trouver le moyen de faire céder ma grand-mère.

— C'est qui, lui ? m'interroge Moune, interrompant le cours de mes pensées.

Une fois nos assiettes de frites terminées, après qu'il a été évident que je ne tirerais rien d'elle, Moune a tenu à faire un pèlerinage dans ma vie d'avant. Celle qu'elle ne connaît pas. Nous sommes donc devant le lycée Ulysse-Grant. Mon lycée.

— Lui ? C'est Yliès. Le proviseur.

— Proviseur ? Ce gars-là ? Mais il est jeune ?! Et canon !

— Moune !

— Quoi ? Ne compte pas sur moi pour arrêter de m'extasier sur les fesses des hommes. Ce n'est pas parce que je suis vieille et que je ne peux plus déguster que je ne peux pas admirer les vitrines. Et si on allait le saluer ?

— À quoi ça servirait ? Il ne me connaît pas, je te rappelle. Ou en tout cas pas en tant que professeure, dans l'hypothèse où il écouterait la radio.

— C'est vrai, j'oubliais. Tu es seule, c'est ça, dans ta vraie vie ? me demande-t-elle, appuyant sur les trois derniers mots et mimant des guillemets.

— Hélas…

— Pourquoi tu ne sors pas avec ce proviseur beau comme un dieu ? Il est marié ?

— Non, il n'est pas marié, enfin je ne crois pas. Et si je ne sors pas avec lui, c'est parce que, justement, il est mon proviseur. C'est une sorte de supérieur hiérarchique, tu vois. Et puis, il n'est pas si beau que ça[1].

— En temps normal, on ne rougit pas quand on prononce le prénom de quelqu'un qui ne nous plaît pas.

— Je n'ai pas rougi ! Et puis, on s'en fiche, puisque tout ça n'existe plus. Je suis mariée avec Jasper. D'ailleurs, je voulais te demander ce que tu pensais de lui. Je ne saurais pas te dire pourquoi, mais j'ai l'impression que tu ne l'aimes pas beaucoup. Pourtant, il est très gentil et très brillant.

— Et très froid !

— Mais non ! Pourquoi tu dis ça ?

— Je ne dirais pas que je ne l'aime pas, disons seulement que le contact n'est pas facile avec lui. En tout cas, c'est ce que j'ai ressenti le peu de fois où j'ai eu la chance de le voir.

Je repense aux choses terribles qu'il m'a racontées, à cette enfance volée, à ce père maltraitant. Sans doute n'en sait-elle rien, me fais-je la réflexion.

— C'est parce qu'il n'a pas eu une enfance facile…

— En parlant d'enfant, ça fait combien de temps que vous êtes mariés, maintenant ? Un an, deux ans ? Tu n'as pas envie d'en avoir, toi, des enfants ?

J'ignore ce qu'elle sait, ce que la Maxine d'ici a bien voulu lui raconter. Mais si j'ai pris le risque de

1. C'est moche de mentir, moche, moche.

lui avouer mon aventure spatio-temporelle, c'est bien pour avoir quelqu'un avec qui je puisse être complètement honnête.

— Il… Il n'en veut pas.

— Comment ça, il n'en veut pas ? Tu veux dire, pas pour le moment ?

— Non. Je veux dire jamais. Ni hier, ni aujourd'hui, ni demain. Jamais. Pas de gros ventre, pas de bébé. Point à la ligne. Et je l'ai accepté.

Je me demande si c'est Moune que j'essaie de convaincre ou moi.

— Et tu l'as accepté ?

— C'est ce qu'on fait quand on aime quelqu'un, non ? Et j'aime Jasper. Enfin l'autre Maxine l'aime. Et je lui fais confiance. Parce qu'elle est moi.

— Tu n'as pas mal au crâne, parfois, à faire cette gymnastique ?

— Si, un peu.

Yliès passe devant nous pour rejoindre sa voiture, il nous salue avec un grand sourire.

Franchement, il n'est pas si beau…

Il est mieux.

Une heure plus tard, la curiosité de Moune concernant ma vie de professeure enfin satisfaite, nous sommes de retour chez elle. Le trajet en voiture est plutôt silencieux, ce qui est inhabituel pour ma grand-mère. Je l'accompagne jusqu'à sa porte et la prends dans mes bras pour lui dire au revoir. Avant de refermer, elle me glisse :

— Tu sais, tout à l'heure, quand tu as dit que tu faisais confiance à Maxine parce qu'elle était toi… Eh bien non, ce n'est pas vrai. Elle et toi, vous êtes différentes. Ces dernières années, la Maxine d'ici s'est éloignée de nous. Pour tout te dire, je suis bien contente d'avoir retrouvé ma petite-fille, celle que tu étais avant la radio. Oui, bien contente.

Décembre

CHAPITRE 37

— Si je vous ai réunis aujourd'hui… (aux aurores, devrait-il ajouter…), c'est pour vous parler des audiences du mois dernier et vous annoncer une grande nouvelle, nous déclare Jeff, le producteur d'*En toute intimité*.

Toute l'équipe qui travaille sur l'émission ainsi qu'Emma et moi sommes réunis autour d'un café. Il est 6 heures du matin.

— Vous vous demandez sûrement pourquoi je vous ai fait venir si tôt ?

Non sans blague, je pense, tout en glissant un regard mi-endormi, mi-intéressé à Emma qui, elle, en est à sa quatrième tasse de café.

— Nos audiences ont grimpé de près de dix mille auditeurs, ce qui représente 5 % de parts de marché.

Mon envie de dormir semble s'éloigner d'un seul coup. Cela fait maintenant plusieurs semaines que j'ai pris la place de l'autre Maxine, que j'anime chaque soir une émission de radio, avec en permanence l'angoisse de faire moins bien qu'elle.

— Tu peux être fière, Maxine. Tout ça, c'est grâce aux améliorations que tu as apportées. Ce ton plus spontané, plus personnel… Si j'en crois l'augmentation des messages reçus et des audiences, ça plaît beaucoup aux auditeurs.

Je ne suis plus que fierté et joie. Emma m'adresse, elle aussi, un grand sourire. Voilà qui est bien plus gratifiant que de voir mes élèves soupirer. Entendre dire qu'on fait du bon boulot, que les gens pour qui on travaille sont au rendez-vous, c'est quelque chose qui me manquait, je m'en rends compte.

— Et parce que la direction est très contente elle aussi de ces résultats, ils nous ont demandé d'animer aussi les matinales du week-end !

Vu les cris enthousiastes qui fusent, ce doit être une bonne nouvelle.

— Bien entendu, c'est toi qui vas animer ces matinales, Maxine, félicitations.

Emma sourit jusqu'aux oreilles, le reste de l'équipe applaudit.

— Mais ça veut dire que je n'animerai plus les quotidiennes d'*En toute intimité* ?

L'enthousiasme des autres contraste avec la déception qui est la mienne. Je m'étais habituée à ces rendez-vous avec les auditeurs et, au risque de passer pour la chieuse rabat-joie de service, je ne suis pas prête à faire une croix dessus.

— Pourquoi tu n'animerais plus *En toute intimité* ? On ne va pas arrêter maintenant, alors que les audiences grimpent ! Ne t'inquiète pas, les matinales, c'est en plus.

Suis-je bête…

Les quotidiennes, plus les matinales le week-end ?

Si, pardon, mais je m'inquiète, là.

— Tout est à construire évidemment, et nous avons du pain sur la planche, mais je sais que nous en sommes capables, enchaîne mon producteur en dévoilant le planning qu'il a dû concocter cette nuit entre 2 et 3 heures du matin.

C'est bien connu, dormir c'est pour les faibles.

Je comprends que mon temps libre va devenir aussi rare que les bonnes idées de Donald Trump. Déjà que je n'en avais pas énormément avant.

Je me demande à quel moment il va m'annoncer qu'il m'a fait installer un lit mural dans un placard pour optimiser mes journées de travail. Chaque jour, je me sanglerai dans mon lit vertical pour dormir les trois heures qui, dans le tableau Excel, ne semblent pas être prises par du débriefing, et hop ! le tour sera joué.

Paniquée à l'idée de ce qui m'attend, et paradoxalement excitée par le challenge, je perds complètement le fil de ce qui se raconte. Je ne pense qu'à une chose : je vais avoir du mal à maintenir les liens que je commençais à rétablir avec Laetitia et Moune si je n'ai plus une minute à leur consacrer.

La réunion terminée, Emma s'approche pour me féliciter :

— Je suis super heureuse pour toi, tu le mérites. Si j'ai été surprise au début par ce changement de ton, j'en suis désolée, c'est toi qui avais raison. Finalement, me glisse-t-elle à l'oreille, cette amnésie a eu du bon, tu es encore meilleure qu'avant. Ça va propulser ta carrière, d'animer ces matinales.

« Ma carrière »…

En voilà une sur laquelle je fantasmais avant et qui, tout compte fait, ne me manquait pas tant que ça.

Chapitre 38

L'appartement est vide et il fait nuit depuis longtemps lorsque je rentre enfin de cette interminable journée de travail.

Je suis exténuée, mais je mentirais si je disais que je n'y trouvais aucun intérêt. Construire une émission, réfléchir aux rubriques, aux enchaînements, aux invités possibles, c'est passionnant.

Je m'interdis de comparer à mes années d'enseignement, de me demander si j'ai fait le bon choix à l'époque en ne tentant pas ce concours d'entrée à l'école de journalisme, ou laquelle des deux Maxine est l'authentique et la plus heureuse.

Après avoir tout avoué à Moune, j'ai décidé, pour de bon cette fois, que je ne devais avoir plus qu'une vie, celle que je vis en ce moment.

Jasper m'a prévenue dans l'après-midi qu'il devait prendre un avion pour Bordeaux. Un dossier en urgence à monter pour un client. Comment peut-il y avoir des urgences dans le domaine du droit fiscal, ne me le demandez pas, je serais incapable de répondre.

Il a pris le temps de déposer un énorme bouquet de lis odorants sur la table basse du salon. Sur une belle feuille de papier crème pliée en deux, il y a quelques mots écrits : « Tu me manques déjà, je t'aime. »

Je me fais couler un bain, c'est la première fois que je me sers de cette immense baignoire. Peu importe qu'il soit 23 heures, à quoi sert-il d'avoir une telle baignoire si c'est pour ne jamais prendre le temps de se plonger dedans ? Tant qu'on y est, je verse dans l'eau chaude toutes les petites boules qui se trouvent dans un bocal posé sur le rebord.

Je me déshabille et me laisse glisser avec délice dans l'eau chaude et parfumée. Rien de tel qu'une musique d'ambiance pour accompagner ce moment de détente. Je prends mon téléphone, sélectionne un morceau et commence à chanter à pleins poumons :

— « D'accord, il existait d'autres façons de se quitter, quelques éclats de verre auraient peut-être pu nous aider. Dans ce silence amer, j'ai décidé de pardonner, les erreurs qu'on peut faire à trop s'aimer… »

Avec les trémolos qui vont bien et la dramaturgie nécessaire, bien entendu : chanter Lara Fabian, c'est tout un art :

— « Je t'aiiiiiiiimeeeeee, je t'aiiiiiiiiimeeeeee comme un fou, comme un soldat, comme une star de cinémaaaa… »

Est-ce la fatigue, la satisfaction des bonnes audiences, la peur d'animer ces matinales, l'absence de Jasper, la présence de Moune de nouveau dans ma vie ? Peut-être un peu tout ça réuni, je ne sais pas, mais je me mets à pleurer et je laisse les larmes couler, sans cesser mes vocalises.

— « Je t'aiiiime, je t'aiiiime, comme un loup, comme un roi, comme un homme que je suis pas, tu vois, je t'aime comme çaaaaaa… »

C'est complètement détendue, et extrêmement reconnaissante envers Lara, qu'à minuit je m'affale sur le canapé, enveloppée dans un peignoir moelleux que j'ai déniché dans un placard. Je contemple ce magnifique appartement, désormais mon chez-moi, je prends même quelques photos avec mon téléphone. Je ne sais pas vraiment pourquoi, pour conserver une trace, ne pas oublier, au cas où… Dans une autre vie, je les enverrais à des copines, mais dans celle-ci, de copines, il n'y a pas.

Le bip d'un message m'interrompt, c'est Laetitia.

< Julien est OK, il remonte pour Noël ! Je vais organiser un grand repas avec toute la famille. Tu m'aideras hein, comme tu l'as promis ? J'ai des tas d'idées ! Laeti >

Lara Fabian ne va pas suffire, il va me falloir du Dalida.

Et peut-être même un peu de Céline Dion.

Où vais-je trouver le temps ?

CHAPITRE 39

Le casque sur les oreilles, tendue comme un string, je ne quitte pas des yeux mon producteur qui me fait un décompte avec les doigts.

Dans quelques secondes retentira le générique de ma première matinale, le générique sur lequel j'ai travaillé avec toute l'équipe, écoutant pendant des heures des dizaines et des dizaines de propositions. Tellement de temps pour une musique d'à peine vingt secondes, je n'aurais pas cru. Et pourtant, j'ai fini par trouver ça primordial, moi aussi.

Primordial, comme chacune des séquences que nous avons élaborées pendant deux semaines, ne comptant pas les heures passées dans la salle de réunion au quatrième étage de l'immeuble du 26 *bis* rue François-Ier. Petit à petit, sans que je l'aie calculé, la radio est devenue tout mon univers.

L'idée du lit mural n'était finalement pas si saugrenue : j'ai vraiment passé peu de temps dans mon appartement. L'avantage d'avoir un mari qui lui aussi a une « carrière », c'est sa compréhension. Je n'ai eu aucune réflexion de sa part, rien que des encouragements, de l'intérêt. Bien plus quc moi pour ses histoires fiscales, ce qui me fait quelque peu culpabiliser.

Cette nouvelle émission de radio, c'est mon bébé. Inconsciemment, sans doute qu'elle remplace celui de chair et de sang que je n'aurai jamais.

Alors que je ne m'y attendais pas, voire que je ne le voulais pas, je me suis surprise à m'investir comme jamais dans un projet, supervisant chaque détail. Je ne compte plus le nombre de mails que j'ai envoyés à Emma, des notes, des mémos, des *to-do*… Je connais désormais par cœur son numéro de téléphone, presque mieux que le code de ma Carte bleue.

Tout ça, en parallèle des quotidiennes. Un boulot colossal.

Si on m'avait dit ça au début de cette aventure, je n'y aurais pas cru. Pourtant, j'ai aimé cette effervescence, cette impression de compter, d'être attendue, d'avoir du talent pour quelque chose.

Et après avoir poussé la porte de l'appartement, chaque soir un peu plus tard que la veille, j'ai interdit à cette petite voix, celle qui vient du fond de soi et qui n'est jamais très agréable, de me demander si le travail n'avait pas pris le pas sur l'essentiel.

Car si Jasper me comprend et me soutient, c'est plus difficile avec ma grand-mère et ma sœur. Parce qu'elles ont eu l'espoir que les choses allaient changer, que j'aurais plus de temps, que je partagerais plus de moments avec elles. Parce que cet espoir-là, c'est moi qui le leur ai apporté avec mes promesses.

Quelle idée aussi, ce repas de Noël digne d'un repas avec la reine d'Angleterre ? Dans cette vie comme dans l'autre, Laetitia n'a jamais su faire les choses simplement. Les invitations, la décoration, le menu, les tenues : elle planifie chaque détail et voudrait que je participe à tout. Comme si ça avait autant d'importance que cette émission que j'ai créée de A à Z.

Même si j'ai loupé quelques séances de dégustation de macarons ou choix de couleur pour la nappe, j'ai fait de mon mieux. Je réponds à ses mails, pas toujours rapidement, mais j'y réponds.

C'est vrai qu'au début je m'étais juré de ne pas rester cette Maxine que je découvrais, d'apporter un peu de mon ancien moi dans cette vie. Mais comment résister à ce tourbillon professionnel ? Comment ne pas s'impliquer, alors que tant de gens comptent sur moi ? Et quand la petite voix se tait, quand j'évite de réfléchir au reste, je me dis que cette vie me plaît. Que je suis plutôt heureuse. Si me poser trop de questions m'a conduite ici, c'est bien pour quelque chose, non ? Pour que j'arrête de passer à côté de l'instant présent, que je cesse de fantasmer ce qui aurait pu être, et vive ce qui est. Alors, c'est ce que je fais.

L'autre Maxine ne m'est plus si étrangère, je la comprends mieux à présent. Comme elle, je commence désormais ma journée en prenant connaissance des audiences de la veille, et elles déterminent mon humeur du jour.

Mon producteur me fait signe, le générique est terminé, c'est à moi. L'adrénaline est à son maximum.

— Je suis heureuse et fière de vous accompagner pour la première fois en ce samedi matin de décembre. Je vous ai concocté un programme pour vous réveiller tout en douceur. De l'info, de l'insolite, du coup de cœur, c'est le cocktail de votre toute nouvelle matinale.

Il est 6 heures, vous êtes sur Europe 1, et vous écoutez *Debout les paupières*.

L'émission se déroule sans accroc pendant trois heures. Tout ce qu'on avait pensé et qui ne se matérialisait que par un chemin de fer en papier punaisé sur un mur prend vie. C'est incroyablement jouissif.

Je sens que je me détends peu à peu, je blague avec les invités, me prête volontiers au test des objets insolites que l'on a choisi de présenter.

Alors même que je n'ai pas vu le temps passer :

— Voilà, ce premier numéro de *Debout les paupières* est déjà terminé. J'espère que vous êtes bien réveillés, que vous avez passé un bon moment en notre compagnie. Je vous souhaite une bonne journée et vous dis à demain.

J'enlève mon casque avec un grand sourire. Dans la cabine, toute l'équipe applaudit. Chaque personne s'est investie, sans compter ses heures : alors, cette première émission sans faux pas est une belle récompense.

Matinale oblige, tout le monde se retrouve autour de cafés et de viennoiseries. Le champagne, ce sera pour plus tard.

Mon téléphone vibre dans ma poche, me rappelant que j'ai promis à Laetitia de la retrouver chez elle pour écrire les menus. Le 24 décembre, c'est la semaine prochaine. Ça laisse encore du temps, non ? Pendant l'émission, Emma m'a glissé un mot m'informant qu'un des invités de demain avait un empêchement, une hospitalisation pour une hernie. Quelle idée ! Il pouvait attendre, non ?

Il faut donc revoir l'organisation, changer l'ordre des séquences et trouver un nouvel invité.

Je file donc dans mon bureau pour réfléchir à tout ça. J'envoie un message à Jasper pour le prévenir de ne pas m'attendre pour aller courir ce matin.

Je regarde ma montre, il est 10 heures. Avec un peu de chance, d'ici 14 heures, tout sera réglé. Je pourrai encore faire un saut chez Laetitia histoire qu'elle ne m'étripe pas, avant d'aller chez le coiffeur et l'esthéticienne et être au top pour le dîner qu'organise mon producteur avec des directeurs de chaînes télévisées.

« Ce serait bien, une émission de télé, non ? m'a-t-il pseudo-questionnée lorsqu'il a évoqué ce dîner. Tu es au sommet de ta popularité, c'est maintenant ou jamais. Tu ne sais pas le temps que ça durera, peut-être que bientôt tu seras remplacée par quelqu'un d'autre, il faut foncer. »

Est-ce que j'ai envie de plus ? Je n'en sais rien, mais je lui réponds que oui, bien sûr, je suis ouverte à tout. Qui refuserait une telle opportunité ?

Pour l'instant, j'ai un invité à trouver pour l'émission de demain. D'un pas vif, je referme la porte de mon bureau, la claquant au nez de la petite voix qui tente de me dire, pour la dernière fois (même si je l'ignore encore), que je ne fais pas le bon choix.

Il est 15 heures lorsque tout est sous contrôle. Tant pis, pas le temps de passer chez Laetitia. J'irai la voir demain après l'émission et je me ferai pardonner en passant toute la journée avec elle. Ah non, mince ! J'ai rendez-vous avec un journaliste pour une interview l'après-midi.

Je m'apprête à lui envoyer un texto pour m'excuser et lui dire que je serai chez elle sans faute lundi à

10 heures lorsque justement mon téléphone sonne. C'est son numéro qui s'affiche.

Je décroche tout en rangeant mes affaires.

— Ah Laeti, c'est toi, oui, je sais ce que tu vas me dire et je suis désolée, mais on a eu un souci avec un invité prévu demain, et j'ai dû passer des tas de coups de fil avant d'en trouver un, ce qui m'a obligée à revoir tout le déroulé de l'émission de demain. Enfin bref, c'était un peu la folie… Je te promets que lundi matin, je serai là et que j'écrirai les menus de ma plus belle écriture.

À l'autre bout de fil, je n'entends que des sons étouffés, comme des sanglots que l'on essaie de retenir.

— Laeti ? Ne me dis pas que tu pleures ? Ce sont juste des menus !

— Max…

Je tique. J'avais fini par oublier ce surnom. Ici, tout le monde m'appelle Maxine. Comme s'il y avait un lien, je porte ma main à ma joue, celle où il y avait ma cicatrice, oubliant l'espace d'une seconde que je n'en ai jamais eu.

— Il y a eu un accident, Max… Moune voulait aller s'acheter une robe pour la semaine prochaine et, comme tu n'arrivais pas, on a décidé de te rejoindre à la radio pour t'embarquer de force.

Mes mains se crispent sur le téléphone, je sens que mes jambes ne me portent plus, il faut que je m'assoie.

— Il y avait du brouillard, je ne voyais rien, j'ai essayé de l'éviter, j'ai freiné, je n'ai rien pu faire, rien pu faire…

Elle pleure désormais à gros sanglots, ce qui rend son élocution difficile.

— C'est Moune, Max… Je n'ai rien pu faire. Nous sommes à l'hôpital. Elle est… Elle est dans le coma ! Dans le COMA ! hurle-t-elle d'un coup. Et c'est à cause de toi ! Tu devais nous rejoindre, tu devais passer la journée avec nous. Mais non, tu n'as pensé qu'à toi. J'ai cru que tu avais changé, que tout n'allait plus tourner qu'autour de ton nombril. Quelle conne j'ai été ! Si tu étais venue, si tu avais tenu ta parole, nous n'aurions pas eu à venir te chercher. Et tout serait différent. Moune a insisté, convaincue qu'il fallait te faire confiance, que tu avais changé. Et maintenant, elle va sans doute mourir.

Avec des si…

Moune est dans le coma.

Elle va peut-être mourir

La terre se met à tourner.

Non, pitié. Pas une seconde fois. Pas encore.

Chapitre 40

— Maxine ? Maxine ? Ça va ?

Lorsque je reprends connaissance, je découvre le visage paniqué d'Emma au-dessus de moi. Péniblement, je tente de rassembler mes derniers fragments de souvenirs avant de me relever d'un bond, bien trop vite pour ne pas déclencher un vertige qui m'oblige à m'asseoir par terre.

— C'est ma grand-mère. Elle est à l'hôpital. Elle a eu un accident. Il faut que j'aille la voir. Il faut absolument que…

J'essaie de nouveau de me mettre debout mais je chancelle une fois encore.

— Je vais t'emmener, me propose Emma. Tu es incapable de prendre la voiture toute seule. Que s'est-il passé ? me demande-t-elle tout en attrapant mon sac à main et en m'aidant à enfiler mon manteau.

— Je devais retrouver ma sœur aujourd'hui. Elle et son idée d'un Noël en grande pompe. Mais il y a eu la hernie de l'invité de l'émission de demain et… Bref, il fallait que je m'occupe de ce problème. Ce n'était pas si grave que je n'y aille pas, non ?

J'interroge Emma du regard, pour obtenir de sa part une approbation.

— Ma grand-mère a voulu s'acheter une robe, apparemment, et toutes les deux ont décidé de venir me rejoindre à la radio pour m'extirper de mon bureau. Elles ont eu un accident. Et ma grand-mère est… Elle va… Et ma sœur dit que c'est ma faute. Elle l'a même hurlé. Elle a raison, Emma, j'aurais dû y aller. J'aurais dû tenir ma promesse. Si jamais elle meurt…

— Tout va bien se passer, j'en suis certaine, m'interrompt Emma. Tu verras qu'elle va s'en sortir. Peut-être que ta sœur a exagéré sous le coup de la peur. On peut dire n'importe quoi dans ces cas-là, des mots que l'on ne pense pas vraiment. Et peut-être que les médecins l'ont placée dans le coma uniquement pour éviter qu'elle ne souffre ?

Je m'accroche à ces paroles positives comme à une bouée de sauvetage. Je ne supporterai pas d'enterrer Moune une seconde fois. Dans cette vie parallèle, elle ne peut pas mourir, elle n'a pas le droit de mourir. Sinon, à quoi bon…

Arrivée à l'hôpital, je laisse Emma se renseigner sur le service dans lequel se trouve ma grand-mère. Je suis incapable de prononcer la moindre parole. Pendant tout le trajet, les propos de Laetitia ont tourné et retourné dans ma tête. Alors qu'il me semblait les avoir oubliées, les images de l'accident de voiture, celui où je conduisais, me sont revenues avec violence. Comme au ralenti, j'ai de nouveau assisté à l'intervention des secours, ma couverture de survie sur le dos.

La désincarcération. Le massage cardiaque. Les gestes qui s'interrompent. Les mines qui s'assombrissent. Et puis le « Nous sommes sincèrement désolés mais malgré tous les soins prodigués elle n'a pas survécu » que personne n'a envie d'entendre.

Hébétée, je réalise à peine qu'Emma me conduit vers le service de réanimation dans lequel Moune a été admise.

Comme extérieure à la situation, je la regarde frapper doucement à la porte de la chambre 554 et l'ouvrir sans bruit.

Ma sœur est là, sur une chaise à côté du lit, les yeux rougis par les larmes.

Et puis mon regard se pose sur Moune. Reliée à toutes ces machines qui la maintiennent en vie, elle me paraît pâle et fragile.

— Je te laisse, murmure Emma, je vais prévenir le boulot que tu ne seras pas disponible demain. Ne t'inquiète pas pour ça.

Mon émission de radio, mon travail, si importants pour moi il y a quelques heures encore, m'apparaissent désormais comme des détails.

Alors qu'Emma referme la porte, j'avance de quelques pas.

— Qu'est-ce que tu fais là ? me lance Laetitia sur un ton méchant que je ne lui ai jamais entendu. Tu crois que tu n'en as pas assez fait ?

— Laetitia, je…

— Quoi ? Tu vas dire que tu es désolée ? Que ce n'est pas ta faute ? Bien sûr, que ce n'est pas ta faute puisque c'est moi qui conduisais. C'est moi qui étais au volant de cette fichue voiture. Si elle meurt, je pourrai crier haut et fort que j'ai tué ma grand-mère…

Je comprends tellement ce qu'elle ressent en cet instant que la douleur me comprime les poumons.

— Mais ça n'aurait jamais dû arriver, poursuit-elle. Parce que tu aurais dû être là. Comme tu t'y étais engagée. Nous n'aurions jamais eu d'accident si tu n'avais pas pensé qu'à toi.

— Tu es injuste, Laeti.

Je n'ai pas pu m'empêcher de me défendre, et je le regrette instantanément devant le visage de ma sœur déformé par l'angoisse.

— Injuste ? Moi, injuste ? Mais qui essaie de maintenir les liens entre les membres de cette famille ? Qui ? Tu crois que je n'ai pas un boulot prenant, moi aussi ? Que je ne passe pas des heures et des heures dans mon cabinet ? Mais je trouve tout de même du temps pour les gens que j'aime. Parce que c'est important. Plus que tout. Alors non, excuse-moi, je ne suis pas injuste. C'est toi qui ne veux pas regarder les choses en face.

Nous sommes interrompues par une infirmière qui demande à Laetitia de venir remplir quelques documents administratifs. Elle quitte la chambre sans un regard pour moi.

Est-ce elle qui a raison ? Est-ce moi qui ne veux pas admettre la vérité ? Cette vérité qui fait que, en à peine deux mois à évoluer dans cet univers parallèle, il y a désormais une seule Maxine. Celle que l'on m'a décrite lorsque je me suis réveillée dans cette vie et que pourtant je m'étais juré de changer.

Suis-je finalement devenue celle que je ne voulais pas être ?

Bien sûr, je pourrais me trouver des circonstances atténuantes, me dire que deux mois ce n'est pas beaucoup pour essayer de changer les choses, que si j'avais eu plus de temps… Mais la réalité, c'est que mes promesses et résolutions de départ se sont bien vite envolées. Je n'ai pas vraiment essayé de faire différemment, j'ai laissé mon quotidien professionnel prendre toute la place. Pire, je reprochais à Laetitia de ne pas le comprendre.

À mon tour, je m'assois sur la chaise et prends précautionneusement la main inerte de Moune dans la mienne. Pendant de longues minutes, je regarde sa poitrine se soulever au rythme des bips des appareils médicaux. Et je pleure. Comme il y a trois ans.

Et si elle meurt ? Qui sera là pour moi ? Jasper, sans doute. Il m'aime, je le sais. Mais la famille n'a jamais eu pour lui l'importance qu'elle a pour moi. Ou qu'elle avait. Comment ai-je pu changer à ce point ? Avant, j'aurais attrapé mon téléphone et appelé Samya ou Audrey. Les deux auraient tout lâché pour venir à mon secours. En quelques minutes, elles se seraient retrouvées à mes côtés. Elles m'auraient dit que je pouvais compter sur elles. Que je ne devais pas avoir peur. Elles me manquent cruellement. En ce moment, comme à chaque instant des semaines passées.

Là, à côté de ma grand-mère que j'aime plus que tout, et qui par chance est encore en vie, je réalise que j'aurais voulu ne jamais être projetée dans cette vie parallèle.

Je tiens fermement sa main dans la mienne, elle est chaude et douce, et pourtant les souvenirs de mon ancienne vie ne cessent de m'envahir. Les soirées passées au Blues Pub avec Samya et Audrey, les explorations culinaires de Claudia, la chaleur de Darcy couchée sur mes jambes sur le canapé, les discussions philosophiques de comptoir avec mon frère, mes séances entre sœurs avec Laetitia. Toutes ces images tournent autour de moi. Je revois leurs visages, j'entends leurs rires, je ressens le manque de leur présence.

C'est alors que je sens ses doigts remuer. Faiblement, presque imperceptiblement.

— Moune ? C'est moi, Moune ! C'est Maxine. Tu es à l'hôpital, tu as eu un accident.

Bientôt, je sens nettement les mouvements de ses doigts.

— Laetitia ! Laetitia ! Elle se réveille ! Laetitia !

Alertée sans doute par mes cris et par les bips des machines qui se déchaînent, une infirmière arrive en trombe et m'éloigne de force du lit pour examiner ma grand-mère, agitée de petits soubresauts. Laetitia la suit de peu.

— Elle ne va pas mourir, Laetitia ! Elle ne va pas mourir !

Je fais un pas vers ma sœur pour la prendre dans mes bras, mais d'un geste de la main elle m'arrête dans mon élan. Elle me regarde un instant, le visage fermé, puis elle se détourne pour s'approcher du lit de Moune qui a repris pleinement conscience.

La joie, le soulagement et la peur s'entremêlent. Moune ne mourra pas une seconde fois. Je savais que dans cette vie-là elle ne pouvait pas mourir.

Cependant l'évidence est là qui me donne envie de vomir. Au fond de moi, je le sais, je donnerais n'importe quoi pour retrouver ma vraie vie, celle d'avant. Celle dans laquelle, pourtant, elle est décédée.

Pardonne-moi, Moune…

Devant ma grand-mère qui compte tellement pour moi, je me déteste pour ce choix que je ferais sans hésiter si je le pouvais.

CHAPITRE 41

Je suis allongée dans mon lit, une douleur lancinante me vrille le crâne, et ma cicatrice me démange. Comment suis-je rentrée à la maison ? Le souvenir des dernières heures après le réveil de Moune n'est pas très net. Emma m'a-t-elle ramenée ? Ou peut-être Jasper est-il venu me chercher ? Quand je l'ai prévenu pour Moune, il a semblé sincèrement inquiet.

Je n'en ai aucune idée…

Les mots de Laetitia, en revanche, peinent à s'effacer de mon esprit. « C'est à cause de toi. Si tu avais tenu ta promesse, si tu n'avais pas pensé qu'à toi »…

Il faut qu'elle me pardonne, il faut que je lui explique. Je m'en veux de ne pas lui avoir raconté pour la vie parallèle, comme je l'ai fait avec Moune. Peut-être qu'elle aurait mieux compris. Peut-être qu'on n'en serait pas arrivées là.

Mes yeux s'ouvrent difficilement. J'ai la tête qui tourne et la nausée. La sensation des draps sur ma peau est désagréable. Je me sens lourde. L'élastique de mon pyjashort Snoopy me cisaille le ventre.

Comment ai-je pu me laisser embarquer dans cette vie et croire qu'elle me rendrait heureuse ? Que je pourrais me passer de ce qui compte vraiment ?

— Moune… Ne m'en veux pas, je t'en supplie, ne m'en veux pas…

Je gémis. D'abord de manière étouffée puis de plus en plus fort. Je ne vais pas pouvoir continuer sans elles comme ça, c'est trop difficile. Elles me manquent, tout me manque. Je pleure.

— Max ? Ça ne va pas ? Je t'ai entendue crier.

Cette voix. Je me redresse d'un mouvement brusque. C'est bien elle. Je me mets debout sur mon lit et, en deux enjambées, je le traverse pour sauter dans ses bras.

— Samya ! C'est bien toi ? Je dois rêver. Tu ne peux pas être là. Oui, c'est sûrement ça, je rêve.

— Mais qu'est-ce qui t'arrive ? On dirait qu'on ne s'est pas vues depuis des mois.

— Moune a eu un accident ! J'étais à la radio, il fallait que je remplace un invité. Je sais que j'avais promis à Laetitia de l'aider, mais je ne pouvais pas faire autrement. Elle m'a dit que c'était à cause de moi. Tu sais, je suis si seule, je n'ai personne à part Jasper. Vous me manquez, toi et Audrey, vous me manquez tellement. Je me suis trompée, j'ai cru que j'y arriverais, mais non. Je voudrais tellement que tout redevienne comme avant.

— Mais qu'est-ce que tu me racontes ? Je ne comprends rien du tout. On s'est vues hier soir ! Tu as dîné chez ta sœur, tu m'as parlé de ce type qui écrit des blagues Carambar. Tu ne te souviens pas ? De quel accident tu parles ? Celui d'il y a trois ans ? Viens, assieds-toi, tu as dû faire un cauchemar.

J'ouvre complètement les yeux. Je regarde de chaque côté. Ces murs, ce lit, ce bureau. Les copies en cours de correction. Je suis dans mon appartement. Celui que j'ai meublé et que j'aime tant. Samya est derrière moi, c'est bien elle.

Je suis rentrée.

Ou j'ai rêvé.

Et la réalité me frappe de plein fouet : dans cette vie-là, Moune est morte.

Je ne voulais plus de cette autre vie. Oui, mais voilà, en étant prête à renoncer à ma grand-mère pour que tout s'efface, c'est comme si je l'avais tuée une seconde fois.

Octobre bis

CHAPITRE 42

Une tornade rousse me saute dessus et manque de me renverser.

— Darcy ! C'est toi, ma princesse !

Je m'assois sur mon lit, et ma chienne, oubliant instantanément tous les interdits, saute sur mes genoux, pose ses deux pattes avant sur ma poitrine et entreprend une toilette en règle de mon visage, sa petite queue battant l'air à un rythme soutenu. À croire qu'elle non plus ne m'a pas vue depuis des semaines… J'enfouis mon nez dans son pelage et m'enivre de sa douceur.

— Mais oui, toi aussi tu m'as manqué. Promis, plus jamais je ne te laisserai, plus jamais.

— Max ?

— Oui ?

— Tu… Tu es sûre que tu vas bien ? balbutie Samya. Tu étais sous le coup du cauchemar, mais là, tu sembles parfaitement réveillée…

Un instant, j'hésite à lui ressortir mon laïus sur Marty McFly, mais à force je ne peux plus le voir en peinture, lui. Cette histoire aura réussi à me dégoûter de l'un de mes films préférés.

S'il était difficile de m'expliquer dans ma vie parallèle, ça n'est pas plus simple ici. Et là, dans cette chambre, je finis par me demander si après tout je n'ai pas tout inventé.

— Je ne sais pas si c'était un rêve ou un cauchemar. Je ne sais pas ce que c'était, en fait. Mais je viens de vivre quelque chose de complètement dingue. Mes si et mes peut-être sont devenus réalité. Bien sûr, il y avait des tas de trucs excitants. Mais d'un autre côté…

— Pardon, mais je ne pige pas un traître mot de ton charabia. Et si tu t'expliquais clairement au lieu de me la faire avec des métaphores à la prof de français ? J'aime les mathématiques, moi, je te rappelle, les chiffres, la logique.

— C'est ça… Il va te falloir une bonne grosse tasse de quelque chose de fort, alors. Envoie un message à Audrey, dis-lui de nous rejoindre à l'appart pour un brunch d'urgence. Je crois que j'ai besoin d'une douche bien chaude pour rassembler mes esprits.

Une fois seule dans ma chambre, je me décide à me regarder dans le miroir fixé sur la porte de mon armoire. Je suis moi, le moi avec les kilos en trop, les cheveux en bataille et les ongles rongés. J'approche ma main de mon visage, les yeux rivés sur ma cicatrice, sans oser la toucher. Côté Moune, je le sais, il n'y a rien à espérer, pas de bonne surprise à attendre. Retour à la réalité.

Sous le jet brûlant de la douche, j'essaie de me remémorer tous les événements depuis mon réveil dans cet autre appartement et, curieusement, les images qui me paraissaient si nettes la veille se sont un peu estompées.

J'enfile un jean et un sweat sur lequel est inscrit « Besoin de rien, envie de soja », cadeau de Noël de Claudia l'an dernier, et je m'assois en tailleur sur mon lit, un bloc-notes sur les genoux. Il faut que je mette tout ça par écrit. Je sens confusément que l'histoire commence à m'échapper, comme si en effet tout n'avait été qu'un rêve.

Une heure plus tard, j'entends qu'Audrey est arrivée. Et comme ni elle ni Samya ne sont douées pour chuchoter, les mots « droguée » et « cinglée » me parviennent distinctement.

— Je vous entends, les filles, hein ! je leur lance depuis ma chambre. Vous semblez oublier qu'on capte les détails du film porno que regarde tous les soirs le voisin louche d'en bas, alors imaginez avec seulement une cloison de séparation.

La porte s'ouvre, et Audrey passe la tête dans l'entrebâillement. La voir m'emplit de joie. Comment ai-je pu me persuader que je pourrais vivre sans elle ?

— Le brunch de notre dingue préférée est servi ! m'annonce-t-elle avec un sourire.

Je lui balance un oreiller qu'elle évite en se baissant mais qui atterrit sur Claudia qui passait par là.

— Hey ! Je suis contre la violence, je vous rappelle, réplique-t-elle. Tout est prêt à être dégusté, les filles. Je serais bien restée avec vous, mais les chiens du refuge m'attendent.

— Promis, Claudia, aucun animal ne sera maltraité en ton absence, lui répond Audrey avant de se tourner de nouveau vers moi. Pourquoi tu souris bêtement comme ça ? On croirait que tu viens de voir passer Ryan Gosling à poil.

— Vous m'avez manqué, les filles. Et, vous retrouver, c'est encore meilleur que Ryan Gosling.

Enfin, presque mieux : il s'agit de Ryan Gosling tout de même et on ne plaisante pas avec Ryan Gosling. Surtout quand il est nu.

Je sors de ma chambre et découvre que, comme je le craignais, c'est Claudia qui a cuisiné pour nous juste avant de filer promener les chiens du refuge. Adieu, omelette baveuse et bacon frit, bonjour porridge et *buddha bowl veggie*. Jamais pourtant je n'aurais cru qu'un brunch aussi impropre à la consommation me ferait autant plaisir.

Elle a même pris le temps de cuisiner ses fameux cookies à l'épeautre. Fameux peut-être, dégoûtants sans aucun doute.

Alors que je porte précautionneusement à ma bouche une cuillerée de flocons de blé, cranberries, noisettes, que je trouve ça délicieux, mais ne l'admettrai jamais de peur que ça ne l'encourage à se lancer dans d'autres tentatives culinaires, j'entreprends de raconter mes deux derniers mois aux filles.

— Avant toute chose, il faut que vous me promettiez de ne pas me prendre pour une folle.

— Comme si c'était notre genre, réplique Audrey.

— Il y a deux mois, enfin hier soir pour vous apparemment, j'ai écouté une émission de radio. Celle de Justine Julliard. Elle recevait un écrivain pour son premier roman.

— Ah oui, je suis tombée dessus aussi, dit Audrey. Complètement débile, cette histoire.

— Laisse-la raconter, enfin, on y est encore dans deux heures sinon, coupe Samya. Il parlait de quoi, ce roman ?

— Une fille à qui on propose de faire un petit changement dans son passé pour qu'elle puisse découvrir ce qu'aurait pu être sa vie.

— Tu vois, Samya, c'est bien ce que je disais. C'est n'importe quoi, cette histoire.

— Heureusement que Michael J. Fox n'a pas pensé la même chose que toi à la lecture du scénario de *Retour vers le futur*.

— Merci Samya ! Enfin une qui connaît ses classiques. Donc, j'écoutais cette émission et je me suis endormie en pensant que ce serait chouette de pouvoir vivre un truc pareil. De savoir ce qu'aurait pu être notre vie si on avait fait d'autres choix. Et quand je me suis réveillée, je n'étais plus ici. J'étais dans un super appartement, grand et luxueux. J'étais plus mince aussi, avec une autre coupe de cheveux. Et j'étais mariée.

Audrey manque de s'étouffer avec un cookie à l'épeautre.

— Tu quoi ?

— J'étais mariée.

— Mais avec qui ? Ne me dis pas que c'était avec Yliès ? Vile traîtresse !

— Avec Jasper. Un avocat fiscaliste. Ne cherchez pas, vous ne le connaissez pas. Et moi non plus d'ailleurs, c'était la première fois que je le voyais. Je ne risquais pas d'être mariée avec Yliès, vu que je n'étais pas professeure de français mais animatrice sur Europe 1. En lieu et place de Justine Julliard, pour tout vous dire.

— Tu es sûre que ta sœur ne t'a pas droguée ? m'interroge Audrey.

— Mais oui, poursuit Samya, pour que tu puisses rire aux blagues Carambar de son invité.

— C'est quoi cette histoire de blagues Carambar ?

— C'est vrai, tu n'es pas au courant. Hier soir, pour le dîner, la sœur de Max avait invité un type. Son boulot, c'est d'écrire des blagues Carambar et d'assouplir des chaussures. En les portant pour les autres.

— Noooooon ?

— Euh, les filles, on peut revenir à ma dinguerie, s'il vous plaît ? Je vous promets que le meilleur reste à venir.

J'attends qu'Audrey réussisse à calmer son fou rire pour reprendre.

— Je vous disais donc que j'étais animatrice radio et un jour lors d'une émission j'ai évoqué ma grand-mère décédée, et c'est là qu'Emma m'a appris que Moune n'était pas morte.

— Comment c'est possible ? me demande Samya.

— C'est qui, Emma ? renchérit Audrey.

— Parce que nous n'avons pas eu d'accident de voiture. Et Emma, c'est mon assistante. Enfin, c'était.

Devant leur mine circonspecte, je développe.

— C'est simple pourtant, je ne suis pas devenue professeure de français, je n'ai pas eu d'accident, Moune n'est pas morte.

— Quel est le rapport entre être professeure de français et ton accident de voiture ?

— Ce soir-là, nous étions en route pour venir te voir jouer Stella Spotlight. Et si je ne suis pas devenue prof…

— … tu ne nous as jamais rencontrées, conclut Samya.

— Exactement. Quand je me suis réveillée dans l'appartement, j'ai d'abord cru que j'avais été enlevée. J'ai voulu t'appeler, Audrey, mais ton numéro n'était pas dans mon répertoire. Heureusement que je le connais par cœur. Et là, tu m'as prise pour une recruteuse de secte ou je ne sais pas trop quoi, et tu m'as raccroché au nez.

— Que veux-tu, je reste fidèle à moi-même, y compris dans les vies parallèles des autres, une vraie peau de vache.

Je ne peux m'empêcher de pouffer.

— C'est sérieux, les filles, ce que je vous raconte là !

— Écoute, Max, tu sais que je t'adore et que je ne suis pas fermée, comme fille. La preuve, je mastique depuis tout à l'heure un truc qui a un goût de carton… Mais tu ne peux pas sérieusement croire que ce que tu nous racontes est vrai ? Tu as fait un rêve, un rêve hyperréaliste, mais un rêve quand même.

— Et pourquoi tu n'étais pas devenue prof dans ton rêve ? demande Samya.

— Tu ne vas pas l'encourager, toi aussi !

— Je suis curieuse, c'est tout.

— Parce que je ne me suis pas cassé la cheville le jour du concours d'entrée à l'école de journalisme. J'y suis donc allée et je l'ai eu. Et je peux vous dire que j'étais plutôt douée, j'ai même gagné un prix.

— C'est dommage que tu ne l'aies pas rapporté, ça aurait fait une preuve, ironise Audrey avec un clin d'œil affectueux.

— J'ai pris des photos de l'appartement avec mon portable…

Samya et Audrey échangent un regard.

— Quoi ?

— Qu'est-ce que tu attends ?! Va le chercher, qu'on puisse voir ça de nos propres yeux !

J'ai écrit toute l'histoire sur un bloc-notes pour ne pas oublier, mais je n'ai pas pensé à regarder dans mon téléphone. Quelle novice des vies parallèles je fais ! Je file dans ma chambre et reviens avec mon portable. Pleine d'espoir, je le déverrouille et ouvre l'application photo avant de déchanter rapidement. Les derniers clichés sont ceux pris chez Laetitia hier. L'assouplisseur de chaussures capturé subrepticement en train de manger une olive pour le montrer aux filles, mon beau-frère avec un tablier de cuisine sur lequel il est écrit « Catastrophe en cours ».

Je fais défiler toutes les photos que j'ai laissées dans mon téléphone. Mon cœur s'emballe quand apparaît la photo prise avec Justine Julliard, le jour où nous avons assisté à l'enregistrement de l'une de ses émissions. Là, en arrière-plan, je crois distinguer Emma. Je zoome mais l'image est trop floue. Impossible de dire si c'est elle ou non. Étrangement déçue, je ferme l'application.

— Il n'y a rien. Mais il y a sûrement une explication logique.

— Oui, tu as fait un rêve, me dit gentiment Audrey. On sait que Moune te manque, c'était peut-être un stratagème de ton subconscient pour la ramener ?

— Je vous jure que tout était réel ! Enfin… Ça paraissait si réel…

CHAPITRE 43

— Ça va, Max ? me demande doucement Samya alors que j'ai repris mes habits de professeure et que je suis assise à mon bureau pour terminer la correction des copies. Tu t'es enfermée dans ta chambre depuis le départ d'Audrey. Tu la connais, elle ne voulait pas te faire de peine.

— Oui, je sais. C'est toi pourtant la cartésienne, et tu n'as rien dit.

— Je peux trouver au moins dix arguments pour te démontrer qu'il n'y aucune logique, crois-moi. Mais je suis aussi une incorrigible fleur bleue, et ton histoire de mariage… Et Moune…

Sans crier gare, je fonds en larmes.

— Je suis désolée, Max, je ne voulais pas… poursuit Samya en me prenant dans ses bras. Je ne pensais pas qu'on puisse être autant déboussolée par un rêve.

— C'est juste que… Je ne sais pas vraiment comment l'expliquer. Un rêve, ça ne s'inscrit pas dans une durée normalement, il n'y a pas de temps qui s'écoule. Mais là, ça a duré plusieurs mois, j'ai passé plusieurs semaines dans la peau de cette autre Maxine. J'ai assisté à des tas de soirées, j'ai travaillé des dizaines et des dizaines d'heures dans les locaux d'Europe 1, j'ai couché avec mon mari, tiens, j'ai même pris un cours de pole dance avec des femmes de soixante-quinze ans. Ça ne s'invente pas, un truc pareil, si ?!

— Peut-être qu'il ne faut pas chercher à l'expliquer ?

— C'est toi, la prof de maths, qui dis ça ?

— Oui, je me surprends moi-même, et il va sans doute falloir que j'aille résoudre quelques équations après ça, mais là je me dis que ça ne sert à rien de comprendre. Et puis, au fond, rêve ou pas, peu importe. Ce qui compte, ce sont tes souvenirs, ce que tu as ressenti.

Samya sait toujours trouver les mots justes, elle aurait dû être prof de français !

— Quand je ferme les yeux, je ne suis plus sûre de la coupe de cheveux d'Emma ni de la couleur de ses yeux, les choses deviennent floues. J'étais certaine de connaître son numéro de téléphone par cœur tellement je l'ai utilisé, mais tout à l'heure quand j'ai essayé de le composer, impossible de m'en souvenir. Par contre, je me souviens distinctement de ce que j'ai ressenti lorsque Moune a ouvert sa porte, son parfum flotte encore autour de moi. C'était tellement incroyable de la voir de nouveau vivante.

— Tu étais très attachée à ta grand-mère, j'imagine que ça doit jouer dans l'imprégnation du souvenir. Et pour le reste, la radio, le mari, tu as vécu ça comment ?

Je sens qu'elle fait de vrais efforts pour ne pas laisser transparaître que tout ça est complètement insensé.

— C'était étrange. Déstabilisant, et en même temps grisant. Je me suis rapidement aperçue que la Maxine de cette vie-là était différente de moi. Plus confiante, plus affirmée, mais aussi plus égocentrée. Moune était vivante, mais elle et moi, on se voyait peu. Je ne te parle même pas de mes rapports avec Laeti. J'ai cru que je pourrais faire changer le cours des choses, je me l'étais promis au début. Et puis le boulot m'a rattrapée. J'ai monté un projet, j'ai pensé chaque détail, et c'était si prenant et intéressant que j'ai relégué tout le reste au second plan. J'ai fini par devenir l'autre Maxine sans même avoir à me forcer.

— Et comment ça s'est fini ?

— C'était la semaine d'avant Noël. Laetitia avait prévu de faire un repas de famille pour le réveillon. J'avais promis de l'aider, mais j'avais la matinale à préparer… Je devais passer la journée avec elle, sauf qu'il y a eu un imprévu avec un invité. J'allais lui promettre de me rattraper quand elle a appelé pour me dire qu'elle avait eu un accident de voiture. Moune l'avait convaincue de venir me chercher par la peau des fesses à la radio. Il y avait du brouillard… À l'hôpital, alors que je la regardais inconsciente, j'ai compris combien ma vraie vie me manquait, même les crèmes naturelles et puantes de Claudia. J'ai su que, si je le pouvais, je ferais le choix de repartir. Quand Moune est sortie du coma… bien sûr, j'étais heureuse, mais je voulais quand même retrouver ma vie d'avant, celle où pourtant elle était morte. J'ai l'impression d'être un monstre.

Après ce long monologue lâché dans un souffle, avec un geste de nouveau familier, je porte la main à ma cicatrice. Samya tente de contenir son émotion.

— Je suis tellement désolée, Max. Je comprends que tu sois dans cet état. Tu aurais dû nous raconter tout ça ce matin. Excuse-nous…

— Tu n'as pas besoin de t'excuser, je suis consciente que c'est difficile à avaler. Et je peux te dire que vous m'avez manqué comme jamais pendant… pendant tout ça.

Je lui souris et la prends brièvement dans mes bras.

— Dis, Samya, qu'est-ce que tu as pensé du départ de mes parents pour le Canada ?

— Euh… je ne sais pas trop. C'est bizarre, cette question tout d'un coup.

— C'est… C'est une conversation que j'ai eue, ou rêvée, avec Moune. Peu importe… Un truc qu'elle m'a dit. Que ce n'était pas ma faute, que c'était son histoire à elle. Je n'arrive pas à en saisir le sens.

— Tu devrais peut-être le lui demander ?

— À qui ? À ma mère ?

— C'est certainement la mieux placée pour te répondre.

— Logique.

— Ah, tu vois, toi aussi, tu y viens ! réplique-t-elle avec un clin d'œil.

— Je vais y réfléchir. En attendant, j'ai encore quelques copies à corriger. Retour à la réalité.

Alors qu'elle s'apprête à quitter ma chambre, je l'interpelle :

— Samya !

— Oui ?

— J'oubliais, tu diras à ton adorable fille que maman ne prend qu'un seul m.

J'éclate de rire et, devant son incompréhension, lui tends la copie que j'ai mise de côté tout à l'heure.

— Oups ! fait-elle avec une grimace. Je vais avoir une discussion avec elle, promis. Et on va bientôt retourner chez nous, t'inquiète.

— Restez autant que vous le voudrez. En fait, j'aime tout ça, cette vie, ce bazar…

CHAPITRE 44

Il paraît que la nuit porte conseil. En ce qui me concerne, elle provoque surtout des insomnies. J'ai tourné et retourné dans ma tête toutes les scènes que j'ai vécues, les émotions que j'ai ressenties sans parvenir à trouver le sommeil.

Même si j'ai ce matin un mal de crâne à m'arracher les ongles un par un, j'ai les idées plus claires. J'ai réussi à faire à peu près le point sur ce qui était important pour moi et ce qui devait être changé.

— Yliès ? Vous avez un instant ? J'aimerais vous parler.

— Oui, bien entendu. De quoi ?

De vous. De moi. De vos mains sur moi dans mes rêves. De votre bouche. De...

— D'une idée que j'ai eue pour les élèves.

Avec un sourire, il me désigne la chaise en face de son bureau. Je m'assois, un peu nerveuse.

— Comment s'est passé l'atelier d'écriture ? me demande-t-il. Nous n'avons pas eu l'occasion de nous croiser depuis.

— Honnêtement ? C'était un fiasco. Aucun élève n'est venu.

— Aïe… Mais peut-être que la prochaine fois ?

— Non. J'y ai bien réfléchi, et un atelier d'écriture, c'était une idée stupide.

— Et donc, vous avez autre chose en tête. C'est de cela que vous voulez me parler, j'imagine.

J'ai l'impression qu'il est déçu, mais je préfère ne pas y prêter trop attention. L'épisode Germain m'a appris que mon ressenti sur les hommes était aussi juste que les prévisions de la météo.

— C'est tout à fait ça. Je me suis dit qu'il fallait leur proposer autre chose. Quelque chose qu'ils puissent créer, dans lequel ils puissent s'impliquer, vous voyez ?

Sans lui laisser le temps de répondre, j'enchaîne :

— Pour tout vous dire, j'avais d'abord pensé à une émission de radio, et puis je me suis dit que c'était peut-être un peu ambitieux. Alors, j'ai ramené ça à la création d'un journal. Seulement quelques pages sans doute pour démarrer, mais sur des thèmes qu'ils choisiraient, eux. Des sujets qu'ils auraient envie de lire, donc d'écrire. Peut-être qu'ils pourraient réaliser des interviews aussi…

— Vous leur en avez parlé ?

— Non, pas encore. Je voulais avoir votre accord d'abord.

— Vous l'avez, me répond-il avec un grand sourire à dégrafer mon soutien-gorge. Je trouve que c'est une très bonne idée.

Je souris à mon tour, soulagée, et me lève pour rejoindre ma salle de classe et parler de ce projet à mes élèves.

— Maxine ?

— Oui ?

Je vous aime. Et si on faisait l'amour, là, maintenant, sur mon bureau ? Voulez-vous m'épouser ?

— Merci de vous investir pour le lycée. J'ai toujours su que je pouvais compter sur vous.

Frustration.

Je suis surprise de ressentir tant d'émotions face à mes élèves. Je ne m'attendais pas à être aussi heureuse de les retrouver. C'est quand on perd une chose que l'on réalise qu'elle nous manque…

Mais quel est le type qui pond ces dictons ? Il ne manque plus qu'un petit « Toutes les bonnes choses ont une fin » pour que le tableau soit complet, pensé-je, amusée.

— J'ai corrigé vos copies…

Plusieurs cœurs s'arrêtent de battre, des têtes rentrent dans les épaules. Le bonheur des retrouvailles est partagé… ou pas. On ne peut pas tout avoir.

— Si vous ne portez pas Flaubert dans votre cœur, au moins je sais que nombre d'entre vous ont lu *Twilight.* C'est toujours ça de pris. Je dois dire que vous m'avez parfois fait beaucoup rire, et dans l'ensemble c'est plutôt pas mal.

Massive expiration d'air en provenance de soixante poumons.

Une fois les copies rendues et après un temps que j'estime suffisant pour que les élèves lisent mes commentaires, trente secondes, je me lance sur le sujet journal. Impatiente ? Absolument pas.

— Je voudrais vous remercier de ne pas être venus à l'atelier d'écriture.

Je sens un mouvement de gêne, surprends des croisements de regards. Je devine que certains se demandent s'ils m'ont bien comprise.

— Oui, vraiment merci. Parce qu'en fait c'était une idée pourrie.

Quelques ricanements se font entendre.

— J'ai donc décidé de laisser tomber l'atelier d'écriture pour vous proposer autre chose. J'ai pensé que je pourrais vous accompagner dans la création d'un... journal.

Applaudissements, cris de joie, hystérie collective ?...

Silence, plutôt, mais je ne me décourage pas.

— Un journal dont vous serez les rédacteurs en chef. Vous pourrez choisir les sujets qui vous intéressent, faire des interviews ou des enquêtes. Et bien sûr, c'est vous qui écrirez les textes. Moi, je serai là pour vous aider, vous conseiller au besoin. Et vérifier que ce qui est publié n'est pas contraire à l'ordre public, cela va de soi. Alors, qu'est-ce que vous en dites ?

La classe : ...

— Vous passez votre temps à protester qu'on ne vous laisse pas la parole, que vous devriez pouvoir choisir les textes qu'on étudie. Alors, si je ne peux rien faire pour Flaubert, je peux en revanche vous permettre de vous exprimer dans un autre cadre.

— On pourra parler de ce qu'on veut ? se lance timidement une élève.

— De ce que vous voulez !

— Même de la bouffe infecte de la cantine ? ironise Julien.

— Même de la cantine. L'idée, c'est de trouver des sujets qui intéressent tout le monde pour que le journal soit lu par l'ensemble des élèves.

— Ouais, donc, ça exclut des trucs sur le maquillage et les fringues ! lance Quentin en ricanant.

— Faut toujours que tu la ramènes, avec ton sexisme de base, lui répond Anaïs. Parce qu'on est une fille, on n'aurait rien d'autre à raconter que des histoires de blush et de pantalon slim ? Excuse-moi, mais on a un cerveau aussi.

— Voilà une idée de départ pour un premier article, le sexisme chez les adolescents, tenté-je doucement pour qu'ils ne se sentent pas influencés.

— Il y en aurait, des trucs à dire là-dessus, poursuit Anaïs.

— Et le sexisme envers les mecs, ça n'existe pas, peut-être ? reprend Julien. C'est un peu facile de voir les choses toujours sous l'angle des filles. Nous aussi on aurait des choses à dire.

Un brouhaha s'installe. Chacun y va de son commentaire.

Je ne dis plus rien, je me contente de les écouter et ne peux m'empêcher de sourire. Une graine est plantée. Une graine de discorde, certes… Mais surtout, le début d'un projet.

CHAPITRE 45

— Bon alors, finalement, qu'est-ce que tu as pensé de Georges ? me demande ma sœur.

Je suis allongée sur son fauteuil de dentiste, tellement heureuse de le retrouver que j'ai failli en pleurer en ouvrant la porte de son cabinet.

— Georges ? L'assouplisseur de chaussures, Georges ? C'est une blague, ta question ?

— J'admets qu'il n'a pas été ma meilleure idée. Ses métiers mis à part, il n'est tout de même pas trop moche ?

— Pas trop moche ? Merci pour ton degré d'exigence en ce qui concerne le futur homme de ma vie ! Il est plutôt mignon, mais chaque fois que je ferme les yeux, il m'apparaît chaussé d'une paire d'escarpins rouge vif taille 41. Non, non, Georges est définitivement rayé de la liste des possibles, même un soir de cuite et de déprime extrême.

Elle rit. Et je suis de nouveau avec ma sœur comme si de rien n'était. Je n'ai pas pu m'empêcher d'avoir de l'appréhension au moment d'entrer dans son cabinet. J'ai eu beau me raisonner, impossible d'effacer de mon esprit que, lors de notre dernier échange, elle m'a balancé que j'étais responsable du coma de Moune.

— Exit Georges, donc. Il va falloir que je me mette de nouveau en quête de ton âme sœur. Tu es difficile, franchement !

— Laisse tomber, j'ai décidé de rester seule jusqu'à la fin de mes jours. Avec Darcy, bien entendu.

— Tu dis n'importe quoi ! Je suis certaine que c'est à cause de tout le soja que Claudia te force à ingurgiter. À force, ça t'a grillé des neurones.

— Pas du soja, mais des cookies à l'épeautre. Et il n'y a rien de drôle, crois-moi. Plus sérieusement, j'ai décidé de me consacrer à mon épanouissement professionnel.

— Tiens donc. Tu as eu une révélation avec tes élèves ?

— En quelque sorte. Disons que j'ai décidé de m'investir dans la vie périscolaire. Je leur ai proposé de créer un journal et, si la ligne éditoriale n'est pas encore tout à fait claire, je peux malgré tout dire que l'idée semble leur plaire. C'est déjà une grande victoire. Pourquoi tu me regardes avec un drôle d'air ?

— Je ne sais pas trop… Je te trouve différente. Plus sûre de toi, on dirait, c'est difficile à identifier.

Décidément, c'est chaque fois la même chose, dans cette vie ou dans l'autre.

— C'est l'effet Georges, peut-être.

Nous éclatons de rire toutes les deux. Je laisse passer quelques secondes et lui pose l'une des questions pour lesquelles j'ai pris rendez-vous avec elle, sur un créneau réservé aux urgences dentaires.

— Dis… Tu ne t'es jamais demandé ce que ta vie aurait pu être si tu n'étais pas devenue dentiste ?

— Pas vraiment, non, répond-elle en alignant minutieusement des pinces métalliques. J'ai toujours voulu faire ce métier. Rappelle-toi, petite, je coloriais au feutre noir les dents de toutes nos Barbie et je m'amusais à les dévitaliser avec tout et n'importe quoi.

— Mais si un événement t'en avait empêchée ?

— Je me serais débrouillée pour y parvenir quand même. Quand on a une passion, rien ne peut l'arrêter. Tu ne crois pas ?

J'évite de repenser à la fois où elle avait voulu passer de la théorie à la pratique, du plastique à l'émail, et m'avait poursuivie à travers toute la maison, une fourchette à escargots dans la main, en criant que je ne sentirais rien. J'en avais fait des cauchemars pendant des mois. Aujourd'hui encore, je reste punie d'escargots, traumatisée que je suis par ladite fourchette.

— Mouais, peut-être. Je ne te cache pas que l'idée qu'on puisse avoir une passion pour ces instruments de torture m'interroge sur ta santé mentale.

— Pourquoi tu viens me voir, alors ?

— Parce que tu n'oserais pas t'en servir sur moi ! Tu as trop peur que je te morde comme lorsque j'avais cinq ans.

— Pas faux. Et sinon, d'où te vient ce questionnement soudain sur la carrière ?

— Je ne sais pas. J'y réfléchis ces derniers temps. Je me demande si j'aurais dû me lancer dans le journalisme, comme c'était prévu. Si je ne me suis pas cachée derrière un pseudo-signe du destin pour ne pas admettre la vérité…

— L'épeautre, c'est plus redoutable que le soja, apparemment !

— On ne peut jamais parler sérieusement avec toi.

— Avoue que c'est bizarre, cette discussion, tout d'un coup. Pourquoi se poser ce genre de questions ? Tu as le boulot que tu as, il te plaît, tant mieux, il ne te plaît pas, tu en changes. Si on doit commencer à se demander ce que l'on aurait dû faire dans le passé, il y a peu de chances de vivre au présent.

— Je croirais entendre Moune.

Il y a comme un voile de tristesse qui se pose sur nous après que j'ai prononcé ce prénom à voix haute. Laetitia reste silencieuse, ne sachant comment réagir, alors je change de sujet.

— Et sinon… des trucs prévus pour les vacances ?

Ma sœur se détend, soulagée de voir elle aussi s'éloigner les fantômes douloureux.

— Quelles vacances ? Celles de la Toussaint ? Dois-je te rappeler que, moi, je ne suis pas prof ?

— Je sens que la dentiste s'énerve, il est temps que je me sauve avec mes dents avant de connaître la vengeance de Laetitia par roulette.

— Voilà ! Mais parce que je suis un être d'une abnégation admirable, et que je sens que tu en meurs d'envie, je vais quand même te demander ce que toi tu as prévu pour ces vacances. Si après ça on ne me décerne pas l'oscar de la meilleure sœur…

— J'ai prévu… d'aller voir papa et maman.

— Au Canada ?

— Ça m'arrangerait mieux ici, à Savannah-sur-Seine, vu ma trouille de l'avion, mais comme il se trouve qu'ils vivent au Canada, oui, je vais aller les voir là-bas.

— Et pour quelle raison ? me lance-t-elle d'un ton soudain plus sec.

— Je… Tu ne t'es jamais demandé pourquoi ils étaient partis si vite ?

— Parce que maman est un monstre d'égoïsme !

— Laeti…

— Désolée, mais je suis incapable de voir les choses autrement.

— Eh bien moi, j'ai décidé d'en avoir le cœur net.

— Il y a le téléphone pour ça.

— Non, je veux lui parler en face. J'ai besoin de comprendre. Et je me disais que, peut-être, tu pourrais venir avec moi…

— Alors ça, certainement pas ! C'est elle qui est partie, c'est à elle de revenir.

Pour ce qui est de son choix de carrière ou de ses sentiments vis-à-vis de notre mère, ma sœur reste droite dans ses bottes. Déterminée là où moi je ne suis que tergiversations.

— D'accord, inutile de t'énerver. J'irai seule.

Je ne sais pas si j'ai vraiment entendu les phrases de Moune ou si mon inconscient les a inventées, mais elles tournent dans ma tête. Oui, il faut que je sache. Même si pour ça il me faut affronter ma mère.

Et prendre l'avion.

Pour la première fois de ma vie.

Novembre bis

CHAPITRE 46

« Mesdames et messieurs, je vous informe que vous êtes à bord de l'A320 n° 474 645 à destination de Montréal. Nous décollerons d'ici quelques instants. La durée du vol sera de sept heures et cinquante minutes. Les conditions climatiques annoncées sont plutôt bonnes, nous traverserons cependant quelques zones de turbulences… »

Quoi ? Qu'est-ce qu'il vient de crachouiller le pilote dans son micro ? Des turbulences ? Mais genre quoi, comme turbulences ? Deux ou trois petits nuages gentillets ou un orage à faire tomber les masques à oxygène ?

Quand la question de déménager s'est posée, mes parents ne pouvaient pas opter, je ne sais pas, moi, pour Montpellier ou Marseille, bref un endroit accessible par la terre ferme ? Non, il a fallu qu'ils partent à l'autre bout de la planète, dans un lieu qui nécessite de survoler une longue étendue d'eau profonde. Et glacée.

Mon Dieu, et si l'avion s'écrase en pleine mer ? Je ne veux pas mourir par noyade !

Sur ces pensées rassurantes, je ferme les yeux et me récite les proverbes favoris de Claudia : « Écoute la forêt qui pousse plutôt que l'arbre qui tombe », « Celui qui déplace la montagne, c'est celui qui commence par enlever les petites pierres ». Rien à voir avec la choucroute, mais ces mantras m'ont toujours fait rire.

— Vous avez peur de l'avion ?

— Absolument pas, réponds-je cyniquement. Je trouve juste que le moment est parfaitement indiqué pour ouvrir mes chakras.

Je me tourne vers mon voisin pour mettre un visage sur cette question stupide et de-quoi-je-me-mêle, quand soudain j'ai l'impression de sentir mon cœur s'arrêter. On dirait…

— Jasper ?

L'homme qui a pris place à côté de moi dans l'avion, c'est… Il ressemble à…

— Ah non, vous devez me confondre avec quelqu'un d'autre. Je m'appelle Jonathan. Et vous ?

— Maxine… Moi, c'est Maxine, mais tout le monde m'appelle Max.

Ce visage, ce regard bleu turquoise, ce sourire… Je sais que c'est impossible, mais cet homme, c'est le mari de ma vie parallèle. J'en suis déstabilisée.

— Enchanté. Voilà un prénom qui n'est pas très courant.

« Merci de relever vos tablettes et de vérifier que votre ceinture est correctement attachée, notre appareil va décoller d'ici quelques secondes. PNC aux portes, armement des toboggans, vérification de la porte opposée… »

Comment ça, vérification de la porte ? Deux tours de clé au moins, j'espère ? Ça y est, je vais mourir, c'est sûr.

— Si vous n'avez pas peur de l'avion, c'est drôlement bien imité, reprend le sosie de Jasper en désignant du menton mes pieds qui font des claquettes, sans musique.

Tout à coup, les réacteurs vrombissent, puis l'avion s'élance, prend de la vitesse, beaucoup de vitesse. On est un peu trop rapide, là, non ? Je ferme les yeux, je souffle, je souffle. Me cramponne à mon accoudoir. Je sens que l'avion quitte le sol, ça vibre de partout, je prie pour qu'il n'y ait pas d'oiseau qui décide de passer par là, à cet instant, et soit aspiré par les réacteurs. Ne vous moquez pas ! J'ai lu hier, en cherchant sur Internet les statistiques des accidents d'avion, que cela pouvait se produire. Sachez qu'il y a eu deux cents morts à cause de ce type de collisions depuis 1988 ! Et ça, sans compter les oiseaux rôtis !

J'inspire, j'expire, j'inspire, j'expire, tellement qu'à force je surventile. Mon Dieu, qui va s'occuper de Darcy quand je serai morte ?

— Je pense que vous pouvez arrêter de malmener ce pauvre accoudoir qui ne vous a rien fait. Regardez, ça y est, nous avons décollé. Depuis au moins quinze bonnes minutes.

Je souris maladroitement à mon voisin.

— Peut-être que j'ai un petit peu peur de l'avion, mais juste un petit peu. C'est quoi votre prénom, déjà ?

— Jonathan. Je m'appelle Jonathan.

Alors que nous sommes en vol depuis presque une heure, que mon voisin semble s'être assoupi, je profite du énième passage d'une hôtesse de l'air pour lui poser la question qui me taraude.

— Madame, s'il vous plaît ? Tous ces bruits et claquements qu'on entend… euh… c'est normal ?

Question de la plus haute importance, vous en conviendrez.

— Tout à fait. C'est la carlingue qui se dilate.

Puis elle s'éloigne comme si de rien n'était, proposant à chaque passager, inconscient du danger imminent, une boisson pour la modique somme de dix euros.

La carlingue se dilate… Mais elle va se dilater jusqu'à quel point ? Je ne voudrais pas chipoter mais dans le langage courant, quand une chose se dilate, elle finit à un moment par exploser.

Se décontracter, relativiser. Où a-t-elle dit que se trouvent les gilets de sauvetage, au fait ? Autant prendre de l'avance en l'enfilant maintenant.

— Rassurez-vous, si l'avion s'écrase, vous ne sentirez rien.

— Vous n'étiez pas censé dormir ?

— Si. Mais vos gesticulations m'ont réveillé.

— Je ne gesticule pas, je reste en éveil afin de pouvoir réagir au moindre problème.

— Première fois en avion, c'est ça ?

— Oui. Mais ça n'a rien à voir. Je suis vigilante, c'est tout. Si l'avion est aussi performant que le micro du pilote, pardonnez-moi de vous le dire, mais nous avons du souci à nous faire.

Il me regarde et éclate de rire. Un rire franc, dénué de toute ironie.

— Franchement, ce n'est pas drôle, je rétorque, alors que je sens son rire me gagner.

— Promis, je ne me moque pas de vous. C'est juste que moi aussi je me suis toujours demandé comment on pouvait envoyer des hommes sur la Lune et être incapable de faire des micros-casques de meilleure qualité. Je me fais cette réflexion chaque fois que je prends l'avion.

— Et moi, chaque fois que j'ouvre un paquet de jambon en tirant sur la languette ouverture facile, et que l'opercule se déchire en plein milieu.

Cette fois, j'éclate de rire à mon tour et j'en oublie presque cette histoire de dilatation.

Finalement, ce vol ne sera peut-être pas un si mauvais moment à passer.

Chapitre 47

Lorsque le pilote nous annonce que l'avion débute sa descente vers Montréal, je réalise que je n'ai pas vu le temps passer. Jonathan et moi avons discuté pendant la quasi-totalité du vol. Du fait de sa troublante ressemblance avec Jasper, je n'ai pas pu m'empêcher d'essayer de trouver des points communs entre mon mari de quelques semaines et lui. Démarche peu concluante. Sauf peut-être sur le plan professionnel : il dirige une agence de relations publiques qu'il a lui-même créée, et qui lui prend beaucoup de temps.

Il m'a interrogée sur mon métier de professeure, mes élèves, et c'est avec un plaisir qui m'a quelque peu prise au dépourvu que je lui en ai parlé.

— Je ne veux pas plomber l'ambiance, m'annonce-t-il avec un clin d'œil, mais l'avion va bientôt atterrir et, au cas où nous ne nous en sortirions pas vivants, je voulais te dire que j'avais passé un très agréable vol en ta compagnie.

Je jette un œil par le hublot pour m'apercevoir en effet que le sol se rapproche dangereusement.

— Tu es le voisin idéal pour quelqu'un qui a peur de l'avion, dis-moi !

— Je t'en prie.

Pour atténuer mon angoisse, il prend ma main quelques minutes avant que l'avion ne touche le sol. De son pouce, il en caresse doucement la paume, et, étonnamment, ce geste d'une intimité incroyable entre deux inconnus me semble presque naturel.

Je pousse un soupir de soulagement lorsque l'avion s'immobilise et que des applaudissements retentissent.

— Tu vois ?! Il y a des gens qui applaudissent ! Je ne suis donc pas la seule à penser que c'est une aberration de voyager en avion, lui dis-je en souriant.

Alors que nous rassemblons nos affaires, il me tend une carte de visite.

— Ça va faire très cliché, mais j'aimerais beaucoup te revoir, Maxine, quand tu seras de retour en France. Tu serais partante pour que nous allions dîner un soir ? Mon bureau n'est qu'à une heure de Savannah-sur-Seine, je pourrais passer te prendre en voiture[1] ?

— Ce sera avec plaisir !

Je griffonne mon numéro sur un morceau de papier à carreaux que je lui tends à mon tour.

— J'espère que ce séjour t'apportera les réponses que tu es venue chercher.

— Moi aussi. Ce dîner sera l'occasion de te raconter.

Il me sourit puis m'embrasse sur la joue. Un baiser appuyé, comme une promesse d'autre chose.

Nous descendons de l'avion et, alors que je me dirige vers le comptoir de location de voitures, je le

1. Oui, parce qu'en trottinette, c'est moins pratique.

regarde s'éloigner d'un pas rapide et décidé. Ce n'est pas Jasper, et pourtant j'ai l'impression que c'est lui que je regarde marcher. Je chasse cette troublante sensation pour me concentrer sur l'objet de mon voyage.

Il est temps de récupérer la voiture que j'ai louée pour me rendre dans le petit village où s'est installée ma mère, près du lac Caroline.

Il me faut trois heures pour arriver à destination. Trois heures pendant lesquelles j'échafaude mille théories, pendant lesquelles je réfléchis à ce que je vais pouvoir dire à ma mère lorsqu'elle va ouvrir la porte. C'est un risque de ne pas l'avoir prévenue de ma visite, mais je compte sur cet effet de surprise pour obtenir toutes les réponses à mes questions.

Je gare la voiture en face de la nouvelle maison de mes parents, et l'observe quelques minutes. Une grande bâtisse avec des murs blancs et des volets rouges. Une terrasse couverte semble en faire le tour. Un petit jardin. De la fumée s'échappe de la cheminée et de la lumière brille à travers les fenêtres du rez-de-chaussée. Ils sont là. Je prends le temps de respirer et me décide à y aller.

Le manteau que j'ai sur le dos n'est pas assez épais, et je suis saisie par le froid qui me transperce et me coupe presque le souffle.

Je traverse la rue déserte et grimpe les quelques marches qui mènent à la porte d'entrée sur laquelle est déjà accrochée une couronne de houx avec un nœud rouge. Je frappe et danse d'un pied sur l'autre pour tenter de me réchauffer en attendant que quelqu'un vienne ouvrir. Attentive, je guette des bruits de pas, et mon cœur s'emballe lorsque la porte s'entrebâille. Ma mère se tient devant moi, muette de surprise.

— Coucou, maman.

CHAPITRE 48

— Maxine ? C'est toi, ma chérie ? Je ne savais pas que tu venais !

— C'est le principe d'une surprise, maman. Si on prévient, c'est moins drôle.

Elle ne relève pas mon ironie que je n'ai pu contenir et s'avance vers moi pour me prendre dans ses bras. Déroutée par ce geste, au vu de nos rares échanges téléphoniques toujours froids et tendus, je reste les bras ballants.

— Ça me fait tellement plaisir de te voir, ma chérie ! Et comment vont Laetitia et Julien ? Mais entre, tu vas mourir congelée, avec ce manteau.

Elle s'écarte pour me laisser passer puis referme la porte derrière moi. La douceur qui règne à l'intérieur me réchauffe quasi instantanément.

— Tu n'as pas choisi la période la plus clémente pour nous faire cette surprise. Il fait un froid de canard, cette année. Et on nous annonce de la neige dans les prochaines heures. C'est ton père qui va être surpris quand il rentrera. Il est sorti faire quelques courses.

Pendant que ma mère ouvre un placard près de la porte pour y suspendre mon manteau, j'observe discrètement les lieux, troublée de n'y retrouver nulle part le style de mes parents. Les murs sont chargés de tableaux, des paysages principalement, sans doute des vues du lac Caroline que je crois reconnaître. Le sol est recouvert d'un épais tapis.

— Viens, ma chérie, je vais te faire un chocolat chaud, ça va te réchauffer.

Elle m'emmène dans la cuisine. Là encore, la pièce est à l'opposée du modernisme de leur ancienne maison. Un piano de cuisson en fonte, de nombreux placards, des casseroles suspendues à des crochets et, au milieu, un immense plan de travail en bois.

Je la regarde s'affairer, sortir deux mugs, ouvrir le réfrigérateur taille américaine pour en sortir le lait et disposer une casserole sur le gaz.

— Elle a l'air très jolie, cette maison.

— Euh… Oui, elle est surtout très grande. On ne se marche pas dessus avec ton père.

Je prends place près de la fenêtre sur l'une des chaises disposées autour de la table ronde. Dehors, il fait déjà nuit.

— Tiens, ma chérie ! Chocolat chaud maison.

À son tour, elle s'assoit. Je crois voir ses mains trembler un instant. Elle semble plus nerveuse, tout à coup.

Alors que je souffle sur ma tasse pour pouvoir boire une gorgée de la boisson dont l'arôme a peu à peu empli la cuisine, j'entends appeler.

— Il y a quelqu'un ? Louise, c'est vous ?

Ma mère se lève précipitamment, manquant de renverser son mug sur la table.

— Je reviens, ma chérie, attends-moi là.

Je la regarde quitter la pièce mais, incapable de lui obéir, je lui emboîte le pas. Je me dirige vers l'endroit d'où viennent les bruits de voix.

Devant une vaste cheminée, une vieille dame est assise sur un fauteuil en velours gris. Malgré la chaleur, ma mère lui dispose sur les genoux une couverture en patchwork rouge et blanche.

— Merci, Louise, vous êtes bien gentille. Est-ce que vous savez à quelle heure sera servi le dîner ? J'ai une revanche à prendre aux cartes avec Madeleine et je ne voudrais pas la faire attendre.

— Je vais commencer à préparer le repas, maman, ne t'inquiète pas. Tu as moins froid, là ?

Lorsque ma mère se retourne et m'aperçoit dans la pièce, elle a un mouvement de recul. Je lis de la peur dans son regard puis, aussitôt, ce qui me semble être une profonde tristesse.

De mon côté, je reste figée, incapable d'énoncer la moindre parole, les yeux rivés sur cette dame aux longs cheveux blancs et raides qui somnole à présent, les mains posées sur sa couverture, régulièrement secouée de légers spasmes.

Je n'ai pas dû bien entendre, ça doit être le décalage horaire, elle n'a pas pu l'appeler…

— Maxine, ma chérie, je… je te présente Gabrielle. Ma… Ta grand-mère.

Chapitre 49

— Comment ça, ma grand-mère ? Mais ma grand-mère, ta mère, est décédée dans un accident de voiture, je te rappelle. C'est même moi qui conduisais ce soir-là…

Ne me dites pas que ces histoires de vie parallèle vont de nouveau recommencer !

Sans m'en apercevoir, j'ai haussé la voix, réveillant en sursaut la vieille dame endormie.

— Louise ? Louise ? C'est vous ?

Après avoir pris quelques minutes pour l'apaiser, ma mère me fait signe de la suivre dans la cuisine.

Elle s'assoit sur la chaise qu'elle occupait tout à l'heure et je prends place face à elle, sans rien dire, partagée entre l'incompréhension et la colère. Comment peut-elle dire que cette femme est ma grand-mère ? Ma mère semble perdue dans ses pensées. Et d'une voix presque lointaine, elle commence :

— Lorsque maman, je veux dire Moune, est décédée, j'étais anéantie. Elle et moi, nous avions des relations parfois compliquées, mais je l'aimais. Nous étions si différentes, mais par-dessus tout je voulais qu'elle soit fière de moi. Quelques jours après son enterrement, j'ai pris mon courage à deux mains et j'ai commencé à trier ses affaires, mettant de côté les objets que je souhaitais conserver. Et puis, un matin, alors que je vidais son armoire, j'ai découvert une enveloppe en papier jauni. Elle se trouvait sous la pile des draps fleuris qu'elle affectionnait tant.

Soudain, elle se lève et quitte la pièce. Lorsqu'elle revient, cinq minutes plus tard, elle a les yeux rougis.

— Vas-y, regarde.

J'attrape l'enveloppe qu'elle me tend et, comme elle m'y encourage du regard, je sors les quelques feuillets qu'elle contient.

Je prends le temps de les parcourir, lisant chaque mot pour m'en imprégner.

— Est-ce que je dois comprendre que ?...

— Que j'ai été adoptée, que je ne suis pas la fille biologique de Moune ? Oui.

— Maman...

— Tu vois, rien que ce mot-là, pendant des semaines je n'ai pas pu le prononcer ni l'entendre sans ressentir comme une gifle. Jamais elle ne m'avait laissé entendre quoi que ce soit. Jamais je n'ai su. J'ai parfois pensé que je n'étais pas la fille qu'elle aurait voulu que je sois, pour découvrir en fait que je n'étais tout simplement pas sa fille du tout. Ironie du sort. Était-ce elle qui ne pouvait pas avoir d'enfants ? Ou bien papa ? Pourquoi le Canada ? Comment sont-ils entrés en contact avec l'agence d'adoption ? À toutes ces questions, je n'aurai jamais de réponse.

— Elle t'aimait, j'en suis certaine. Il y a sans doute une raison pour laquelle elle ne t'en a jamais parlé.

— Je n'en saurai jamais rien. Même si, ces dernières années, j'ai compris des choses. Grâce à ma vraie mère. La peur de perdre quelqu'un est parfois si forte qu'elle peut conduire à faire n'importe quoi.

Je ne peux m'empêcher de tiquer en l'entendant nommer cette dame que je ne connais pas sa « vraie mère ». Je refuse de voir Moune comme une fausse grand-mère. Elle était l'une des personnes les plus importantes pour moi. Le souvenir, quelque peu flou aujourd'hui, de ce déjeuner passé avec elle dans une autre vie, cette douleur que j'ai lue dans ses yeux quand je lui ai dit que maman était partie au Canada, je n'ai pas pu inventer un truc pareil.

— Je ne veux surtout pas ternir le souvenir que tu as de ta grand-mère, poursuit-elle, je sais combien tu l'aimais. Je suis heureuse qu'elle ait ainsi fait partie de ta vie.

J'essuie une larme qui roule sur ma joue.

— Et comment as-tu retrouvé… ta mère biologique ?

— C'est assez simple : dans l'enveloppe il y avait une lettre de sa part avec une adresse, celle de cette maison, en fait. Elle y expliquait pourquoi elle avait dû m'abandonner : elle était très jeune, ses parents étaient contre cette grossesse, son ami de l'époque peu enclin à assumer une paternité. Bref, une histoire tout à fait banale qui pourtant bousille des vies. Elle me souhaitait d'être heureuse dans une famille accueillante. J'étais complètement bouleversée et, pendant les jours qui ont suivi cette découverte, j'ai tout d'abord refusé d'y croire. C'est ton père qui m'a convaincue d'essayer de la contacter.

— Mais pourquoi ne pas nous en avoir parlé ? Nous aurions compris, nous aurions pu t'aider !

— Vous étiez sous le choc du décès de Moune, toi surtout, je ne voulais pas ajouter de la peine au deuil. Et puis, égoïstement, c'était mon histoire. Elle n'appartenait qu'à moi, je n'avais pas envie de la partager. La première fois que je l'ai eue au téléphone, c'était tellement étrange. Cette voix que je n'avais jamais entendue, mais dans laquelle je pouvais retrouver certaines de mes intonations. Je sais que c'était sans doute une invention de mon esprit, mais ça m'a émue. Elle a beaucoup pleuré lors de cette conversation, me demandant pardon un nombre incalculable de fois. Et plus ça allait, plus j'en voulais à Moune de ne rien m'avoir dit, de m'avoir privée toutes ces années de la possibilité de faire sa connaissance. C'était comme si elle m'avait volé le droit de choisir.

Elle s'interrompt quelques instants pour boire une gorgée de son chocolat chaud, certainement froid à présent.

— Nous nous sommes parlé tous les jours pendant quelques semaines, nous racontant nos vies, rattrapant le temps perdu. J'y suis allée quelques jours toute seule et, lorsqu'elle m'a prise dans ses bras pour la première fois, j'ai ressenti une émotion indescriptible. Le lendemain de mon retour en France, son état de santé s'est brutalement dégradé. Elle a été hospitalisée et n'a jamais complètement récupéré. Elle vivait seule. Dans ces conditions, impossible de rester chez elle. Je savais combien elle était attachée à cette maison, combien il était important à ses yeux d'y finir sa vie…

— Alors, vous avez tout vendu et vous êtes venus vous installer ici. Pour vous occuper d'elle.

— C'est ça. La question ne s'est même pas posée, à vrai dire. C'était ma mère, et il était hors de question que je la laisse tomber. Je venais d'en perdre une, je ne pouvais pas en perdre une deuxième. Je sais que j'aurais dû vous en parler, que c'était injuste pour vous de vous tenir à l'écart. Mais j'avais si peur que vous ne compreniez pas, et je me savais incapable de supporter un rejet de votre part. Alors, j'ai préféré ne rien dire.

— Pendant toutes ces années, j'ai cru que tu étais partie parce que tu me tenais pour responsable de la mort de ta mère. Que tu avais choisi de t'éloigner pour ne pas avoir à supporter ma présence, moi qui conduisais la voiture ce soir-là.

— Mais ma chérie, jamais je n'aurais…

— Tu étais si distante… Et puis du jour au lendemain, vous nous avez annoncé votre départ. As-tu la moindre idée de ce que j'ai pu ressentir à ce moment-là ? De ce que ça m'a fait ?

— Je suis désolée, je te jure. Sincèrement. Découvrir que j'avais été adoptée a été un tel séisme pour moi, je ne pensais plus à rien d'autre.

Je sanglote, et ma mère se lève pour m'enlacer. D'abord timidement puis plus tendrement à mesure que je me relâche et m'abandonne.

Je ne sais pas combien de temps nous restons ainsi, silencieuses. Plusieurs dizaines de minutes, peut-être. C'est le toussotement de mon père qui nous sort de notre bulle. Je lève les yeux : il se tient là dans l'entrée de la cuisine, deux cabas pleins de nourriture à ses pieds.

— Papa ! m'exclamé-je en me jetant dans ses bras. Tu m'as tellement manqué. Maman m'a dit… Et… Je suis heureuse d'être là. Je…

— Toi aussi, tu m'as manqué, ma princesse, toi aussi.

Chapitre 50

Il est 5 heures du matin lorsque je me réveille le lendemain, totalement déphasée, décalage horaire oblige. Je n'ai pas beaucoup dormi, tournant et retournant dans ma tête ce que ma mère venait de m'apprendre et dont j'étais à mille lieues de me douter en venant ici.

Elle est une enfant adoptée et l'a découvert de la pire des manières, sans pouvoir demander d'explications à la principale concernée.

Moune qui refusait de figurer sur la moindre photo et nous expliquait que cela emprisonnait une parcelle de vie, qu'elle ne voulait pas mourir figée sur papier glacé. En réalité, c'était une façon de dissimuler qu'il n'existait aucune photo d'elle enceinte de maman ou encore à la maternité. Jamais je ne l'ai questionnée à ce sujet, me contentant de lever les yeux au ciel. Moune était comme ça, fantasque. Cette lubie était conforme à sa personnalité.

Au fil des années, j'ai bien vu que les rapports entre elles étaient compliqués, et injustement je mettais ça sur le compte du caractère de maman, très entière, parfois susceptible. Que Moune l'ait voulu ou non, ce secret a nécessairement pesé sur leurs relations. Il était là, et ma grand-mère n'en a rien dit. J'imagine que, plus maman grandissait, plus il devenait difficile pour elle de lui balancer cette information.

La grand-mère que j'ai tant aimée n'était pas celle que je croyais. Je comprends peu à peu ce qui a poussé maman à ne pas nous en parler : elle voulait préserver nos souvenirs, notre amour pour Moune.

J'ignore quelle heure il est en France, s'il fait jour ou nuit, mais qu'importe, j'envoie un message à Laetitia pour lui apprendre la nouvelle. Elle s'est montrée très sèche lorsque je lui ai parlé de mon escapade au Canada, mais je la connais : au fond d'elle, elle attend et espère une explication.

< *Maman a été adoptée. Moune n'était pas sa mère biologique. Sa vraie mère s'appelle Gabrielle, elle est en mauvaise santé, pense que maman s'appelle Louise. Et elle vit ici dans la maison.* >

C'est un peu brutal, je l'admets, mais difficile d'enrober pour faire passer la pilule. À la fin, de toute façon, le message reste le même.

Je n'ai pas à attendre longtemps pour que mon téléphone sonne.

— Laetitia ?

— Si c'est une blague, elle n'est pas drôle ! J'attends un patient d'une minute à l'autre pour lui extraire une dent de sagesse, alors mieux vaut ne pas me mettre sur les nerfs.

Au moins je ne l'ai pas dérangée en pleine nuit, c'est déjà ça. Ma sœur est toujours d'une humeur de dogue quand elle est tirée du sommeil.

— Je te promets que ce n'est pas une blague. Maman a découvert par hasard après l'enterrement de Moune qu'elle avait été adoptée.

Je lui raconte toute l'histoire et, bien que nous soyons séparées par des milliers de kilomètres, je la sens se décomposer à l'autre bout du fil.

— Jamais je ne me serais doutée, me dit-elle. Et moi qui refuse de lui parler depuis qu'elle est partie… mais quelle abrutie je fais !

— Tu ne pouvais pas savoir. C'est elle qui a choisi de ne rien nous révéler, elle a assumé les conséquences de cette décision, même si elle en a souffert autant que nous, comme je l'ai finalement compris.

— Elle est là ? Tu peux me la passer ? Il faut absolument que je m'excuse…

— Euh, je ne sais pas quelle heure il est en France mais…

— Quasiment midi.

— Oui, eh bien ici, il est à peine 5 heures du matin. Pas vraiment l'heure adaptée pour des excuses, qui plus est par téléphone. Tu n'auras qu'à la rappeler d'ici quelques heures.

— Et cette… Gabrielle ? Comment est-elle ? Accueillante ?

— C'est difficile à dire. Elle est très affaiblie et, depuis quelques mois, s'est ajouté à son état un Alzheimer assez sévère. Apparemment, elle ne reconnaît plus du tout maman qu'elle prend pour une de ses voisines d'enfance, une certaine Louise. Maman m'a dit que les médecins étaient pessimistes et qu'il ne lui restait probablement plus que quelques mois à vivre.

Elle tient à l'accompagner jusqu'au bout et ne quittera pas le pays jusque-là.

— C'est compréhensible. Tu lui dis que je l'embrasse et que je l'appellerai tout à l'heure ?

— Compte sur moi. J'aurais voulu que tu sois là, Laeti. Tu préviens Julien ?

— Évidemment. Il va être tout aussi surpris.

— Mais en bon psy qu'il est, il saura comment gérer tout ça. Il est même capable de trouver ça passionnant. Je me disais cette nuit que, peut-être, ce serait bien qu'on vienne tous ici pour Noël ? Toute la famille réunie, ça fait longtemps.

— Je vais voir si c'est possible à organiser, mais tu as raison, ça pourrait être une bonne occasion de repartir sur de nouvelles bases.

— On en reparle quand je rentre. Je te laisse à ton extraction de dent de sagesse !

C'est un petit déjeuner fastueux qui m'attend dans la cuisine. Il est à peine 8 heures, mais ma mère est déjà habillée et, au vu de la table chargée de victuailles, aux fourneaux depuis un bon moment.

— Bonjour, ma chérie ! J'espère que tu as faim. Comme je n'arrivais pas à dormir, je me suis dit que j'allais faire un peu de cuisine. Pancakes, sirop d'érable, œufs, brioche, pains au chocolat, salade de fruits, tartines grillées…

— Miam, tout ça m'a l'air délicieux !

Je m'assois, et ma mère pose devant moi une assiette contenant l'équivalent de deux repas. Elle m'adresse un grand sourire. Ses traits sont bien plus détendus qu'hier, malgré un manque de sommeil évident. J'imagine combien elle doit être soulagée d'avoir partagé son secret avec moi.

J'enfourne dans ma bouche une moitié de pancake recouvert de beurre et manque de défaillir tellement c'est bon.

— Au fait, j'ai eu Laetitia tout à l'heure au téléphone. Elle m'a chargée de te dire qu'elle t'embrassait et qu'elle allait t'appeler.

— C'est vrai ?

— Oui. Elle était en colère jusqu'ici parce que, comme moi, elle ne comprenait pas.

— Jamais je n'aurais dû partir comme ça sans rien vous dire. Si j'avais su…

— Tu sais ce qu'on dit, avec des si…

Est-ce bien moi qui viens de prononcer cette phrase ? Moi qui passe mon temps à regarder en arrière et à m'interroger sur celle que je serais si j'avais pris d'autres décisions ? Ça doit être le sirop d'érable qui me retourne le cerveau. Trop de sucre, probablement.

En début d'après-midi, alors qu'une aide à domicile arrive pour rester quelques heures auprès de Gabrielle et permettre à ma mère de souffler un peu, elle me propose d'aller respirer le bon air canadien et de découvrir cette nature que je n'ai aperçue qu'en photo dans le couloir.

Emmitouflée comme il se doit dans un manteau vraiment prévu pour affronter le froid canadien, que maman a tenu à m'offrir, chaussée d'une paire de bottes montantes doublées de fourrure, nous nous promenons, une heure plus tard, le long du lac Caroline. Le paysage est à couper le souffle. Les montagnes aux sommets enneigés, les sapins qui bordent le lac, l'eau qui brille sous le soleil de cette belle journée de novembre… L'air est piquant sur mes joues rougies, de la vapeur s'échappe de ma bouche à chaque respiration, mais la sérénité de l'endroit fait couler dans mes veines une douce chaleur. Plusieurs pontons s'avancent sur le lac. Nous marchons sur l'un d'eux et au bout nous nous asseyons, laissant pendre nos jambes au-dessus de l'eau quasi turquoise dans laquelle se reflètent les montagnes.

— C'est beau, n'est-ce pas ?

Émue, je peine à trouver mes mots. Moi, la citadine, je me sens tomber amoureuse d'un coin de nature.

— Comment ne pas aimer… C'est juste magnifique.

— Il y a encore un an, je venais souvent ici avec ta grand-mère. Avant que sa mémoire ne l'abandonne. Elle ne pouvait pas marcher longtemps, alors je l'installais dans un fauteuil roulant et nous restions là, à admirer le paysage. Elle me racontait sa vie, toutes ces années qu'elle a vécues sans moi sans que jamais je quitte son esprit. À force, tous les personnages de l'histoire me sont devenus familiers, comme si je les connaissais. Elle avait une manière si vivante de raconter les choses. Si seulement la maladie… Je suis certaine que tu l'aurais appréciée.

— Elle n'a jamais essayé de te retrouver ? Ou de prendre de tes nouvelles ?

— Non. Elle en a eu envie des centaines de fois, mais elle ne savait pas par où commencer. Elle avait seize ans, ce sont ses parents qui se sont occupés de toutes les démarches. Et puis elle avait peur. De ma réaction, d'un éventuel rejet.

— Tu as des frères et des sœurs ?

— Hélas non. Dans cette vie-là comme dans l'autre[1], je suis l'unique. La raison est évidente en ce qui concerne Moune, mais elle est plus douloureuse pour Gabrielle. Elle se serait sentie incapable d'aimer un autre enfant sachant qu'elle avait dû m'abandonner. Comme un conflit de loyauté. Alors, elle a choisi de ne pas être mère de nouveau.

— Je suis désolée. Ça n'apaise rien, mais je le suis sincèrement.

— C'est comme ça. Ces trois dernières années, je suis passée par tous les sentiments. J'ai longtemps été en colère, et puis c'est comme chaque fois, ça finit par passer. J'ai profité de ma mère pendant de longs mois, nous avons essayé de rattraper ce temps perdu et je crois qu'en quelque sorte nous y sommes parvenues. Aujourd'hui, je suis là avec elle, et c'est tout ce qui compte.

— Je peux te poser une question ? Ça va te paraître bizarre, peut-être, mais tu ne t'es jamais demandé ce qu'aurait été ta vie si Moune t'avait dit la vérité ? Tu aurais cherché à la retrouver plus tôt ou pas du tout ?

— Non, je ne crois pas m'être posé cette question. J'en ai terriblement voulu à Moune de m'avoir privée du choix de retrouver ma véritable mère, mais pour autant je n'ai pas cherché à imaginer ce qui aurait pu être.

1. Ça recommence ! Un ibuprofène, s'il vous plaît !

— Pourquoi ?

— Parce que, eh bien, ça ne sert à rien. À quoi bon s'interroger sur quelque chose qui n'est pas arrivé et qui n'arrivera jamais… ? À quoi cela peut-il servir si ce n'est à se faire du mal ? C'est comme ça. Réécrire sa vie, c'est aussi prendre le risque de modifier des choses auxquelles on tient. Un peu comme s'il y avait des effets secondaires. Alors non, je ne me demande pas. Je vis au présent, je regarde devant et j'avance.

Les paroles de ma mère résonnent en moi. Au fond, c'est sans doute elle qui a raison. À quoi bon les si et les peut-être ?

— Pourquoi cette question ?

— Pour rien, pour rien. On y va, tu me montres d'autres endroits comme celui-ci ? Je repars après-demain, alors d'ici là je veux jouer les touristes. Et manger de la poutine !

J'attrape la main de ma mère et la serre fort. Elle me sourit. Mentalement, je ne peux m'empêcher de remercier Moune, ou le rêve que j'ai fait d'elle, pour m'avoir conduite jusqu'ici.

« … Mesdames et messieurs, bonjour, vous êtes à bord du vol n° 385 756 à destination de Paris. Nous allons décoller d'ici quelques instants, la météo s'annonce clémente. Je vous souhaite un bon vol… »

Ce crachouillis dans le micro ne m'avait pas manqué. Être assise dans une carlingue sur le point de se dilater non plus.

À peine arrivée, il me faut déjà repartir. C'était court, mais je suis tellement heureuse de ce que j'ai trouvé en venant au Canada. Cette sourde culpabilité que je ressentais depuis l'accident tend à s'estomper peu à peu. Je me dis qu'il en est ressorti quelque chose de positif pour ma mère puisqu'elle a découvert sa véritable histoire.

Je lui ai promis de revenir les voir bientôt, sans pour autant évoquer notre projet pour Noël, au cas où cela ne se ferait pas.

L'avion prend de la vitesse, le bruit est assourdissant, les réacteurs sont probablement à deux doigts d'entrer en combustion, l'aile sur le point de se disloquer… Est-ce qu'ils ont bien fixé tous les boulons ?

Note à moi-même : étudier la possibilité d'un trajet en bateau pour la prochaine fois. Un bateau, j'en suis sûre, ça ne se dilate pas. Mais ça coule…

Chapitre 51

Face à moi, ils sont trois. Anaïs, Zoé et Julien. Soit 300 % d'augmentation par rapport à ma tentative d'atelier d'écriture. Toujours voir le côté positif, c'est désormais ma devise.

Aux regards que coule Julien vers Anaïs, je comprends que sa présence ici n'est pas uniquement due à son enthousiasme pour notre projet de journal. À la manière dont elle l'ignore, je me dis qu'il va ramer.

— Je vous remercie d'être venus tous les trois ce soir. Comme je vous en ai parlé avant les vacances, l'idée est donc de créer un journal. Un journal qui vous intéresse et vous ressemble. L'objectif de cette séance est de lui trouver un titre et de réfléchir aux sujets que vous pourriez traiter dans le premier numéro. Je vous écoute !

— …

— …

— Surtout pas tous en même temps, on ne s'entend plus.

Ma tentative d'humour ne récoltant pas les rires escomptés, je tente une autre approche.

— Vous connaissez des titres de journaux ? Que vous lisez, ou que vous ne lisez pas d'ailleurs.

— *Grazzia*, répond Anaïs.

— *Le Monde*, *Libération*, *L'Express*, poursuit Zoé.

— *Gamer*, ajoute Julien.

— Quel point commun peut-on trouver entre tous ces noms de magazine que vous venez de citer ? J'aurais pu ajouter *Femme actuelle*, *Biba* ou encore *ELLE*.

— Ils sont plutôt courts ?

— C'est tout à fait ça. Un nom doit pouvoir se retenir facilement, et pour cela rien de tel que quelque chose de bref. De ce point de vue, *La Petite Gazette du lycée de Savannah-sur-Seine* serait vraiment inadapté par exemple.

— Et pourquoi pas *Le Grant's* ? propose Anaïs.

— Ah ouais, ça claque ! approuve Julien.

— C'est pas mal en effet, ça rappelle un peu le *Times*, c'est court, ça va se retenir facilement. Je note. Et sinon, des idées de sujets que vous auriez envie de traiter ?

— Le réchauffement climatique ? propose Zoé.

— Les chaussures tendance à porter cet hiver ? enchaîne Anaïs.

— Ça, ce sont des sujets de gonzesses. Moi, je propose un sujet sur le nouveau FIFA 2018. Voilà ce qui va plaire aux mecs.

Où l'art de réduire à néant la tentative de séduction démarrée deux minutes plus tôt.

Je ne peux m'empêcher d'éclater de rire.

— On va faire autrement. Dans un journal, il y a des rubriques. On va plutôt réfléchir à toutes celles que le journal pourrait contenir. Et ensuite on verra les sujets qui pourront les alimenter.

Nous travaillons ainsi pendant une petite heure. À la frilosité du début a succédé un enthousiasme croissant. En fait, des idées, ils en ont à revendre. Nous avons listé plusieurs dizaines de rubriques possibles : société, vie lycéenne, mode, musique, cinéma, ragots, cuisine, bons plans, zoom sur… Pour la prochaine fois, je leur demande de remplir chacune d'elles avec au moins trois idées de sujet.

Ils ne sont que trois pour l'instant, mais je suis certaine que leur dynamisme va en contaminer d'autres.

C'est pleine d'énergie que je quitte la salle pour rejoindre les filles au Blues Pub. Juste avant, je décide d'aller voir si Yliès est dans son bureau pour lui faire un petit compte rendu de cette première séance de travail.

Sans aucune arrière-pensée, cela va sans dire.

Ou alors rien qu'une toute petite.

Sa porte est entrouverte. Il est assis à son bureau, concentré derrière son écran d'ordinateur. Je toque timidement.

— Yliès ? Vous avez quelques minutes ?

Il lève les yeux vers moi et m'adresse un grand sourire.

— Bien sûr, Maxine.

— Je voulais juste vous dire que la première séance de travail concernant le journal a été un succès.

— Vous m'en voyez ravi ! Vous avez eu du monde cette fois-ci ?

— Le compteur a explosé. Ils étaient trois !

— Magnifique progression en effet, répond-il en riant.

— Nous avons réfléchi à un titre et aux différentes rubriques. D'ici trois semaines, je pense que je pourrai vous soumettre la maquette du premier numéro. Je me disais que ce serait bien de le lancer avant les vacances de Noël, qu'en dites-vous ?

— Ce serait parfait. Merci beaucoup, Maxine, pour votre persévérance.

— Merci à vous.

— Mais de rien.

J'ai une idée : et si on enlevait tous nos vêtements, là, maintenant, et qu'on faisait l'amour sur votre bureau ? En toute simplicité.

— Bon, eh bien je vous laisse.

Alors que je suis déjà dans le couloir, le sang en ébullition, l'esprit rivé sur l'image de nos deux corps enlacés, moites et fiévreux, bref, le sang en ébullition, il m'interpelle :

— Maxine !

— Oui ?

— Je… Non, rien. Je vous souhaite un bon week-end.

Vous n'auriez pas un seau d'eau avec des glaçons, par hasard ? Que je puisse me refroidir.

— Bon week-end à vous également, Yliès.

Sur le chemin du pub, je sens mon téléphone vibrer dans mon sac à main. Pleine d'espoir, je fouille pour l'attraper. Pourquoi est-ce toujours dans ces moments-là que l'on ne trouve rien ? Je pose mon sac par terre et entreprends de le vider de son contenu, afin de pouvoir mettre la main dessus. Qui sait ? C'est peut-être Yliès qui m'envoie une proposition indécente.

Deux interminables minutes plus tard, je découvre qu'il s'agit d'un texto de Jonathan… Jonathan ? Ah oui ! Le type de l'avion. Le sosie de Jasper.

< *Maxine, désolé de ne pas t'avoir envoyé de message plus tôt, j'ai eu beaucoup de travail depuis notre vol. Alors, bien rentrée ? On dîne ensemble ? J'ai un créneau libre le 15 décembre si c'est possible pour toi.* >

CHAPITRE 52

— Alors, comment c'était ?

— Torride !

Horrifiée, Audrey en recrache sa gorgée de mojito fraise.

— Si tu voyais ta tête ! Je n'ai pas pu résister, pardon. C'était mieux que la tentative minable d'atelier d'écriture : trois élèves sont venus, cette fois. En réalité, deux élèves étaient là par intérêt pour le projet et le troisième par intérêt pour l'une d'entre elles, mais je le compte quand même.

— Comme quoi, cette jeunesse n'est pas complètement foutue, ponctue Samya avec l'optimisme qui la caractérise.

— Trinquons à cette phrase pleine de bon sens, propose Audrey.

Nous levons nos trois mojitos et en avalons chacune une gorgée.

— En sortant du lycée, j'ai reçu un texto de Jonathan.

— Jonathan ? C'est qui déjà, ce mec ?

— Le type que j'ai rencontré dans l'avion. Le sosie de…

— Ah oui, je me souviens, le sosie du gars avec lequel tu couchais dans ta vie parallèle.

— C'est ça. J'apprécie ton soutien Audrey, vraiment.

— Je déconne. Si on ne peut plus plaisanter sur les histoires de cul dans les vies parallèles, où va le monde ?

— N'écoute pas cette rabat-joie. Donc tu as reçu un texto de Jonathan ? Et il te dit quoi ?

— Il me dit qu'il a été débordé et que c'est pour ça qu'il ne m'a pas recontactée avant. Il me propose de dîner avec lui le 15 décembre.

— Le 15 décembre ? Dans plus d'un mois ? Eh bien, voilà qui est diablement romantique. Il est pas pressé de te revoir, le mec.

— Là-dessus, et même si ça me coûte de l'admettre, je suis d'accord avec toi. J'ai tiqué aussi quand j'ai vu la date.

— Dis-lui non, et c'est réglé. Ou alors non, propose-lui une date en janvier de l'année prochaine !

— Mais c'est peut-être l'homme de ma vie ? Comme Jasper dans l'autre ? Je t'assure que je l'aimais vraiment. Et là, c'est quand même un signe que je sois assise dans un avion à côté d'un mec qui lui ressemble comme deux gouttes d'eau, non ?

— Je ne crois pas aux signes, maugrée Samya. Ou alors aux signes mathématiques. Dans un triangle rectangle, le carré de l'hypoténuse est toujours égal à la somme des carrés des deux autres côtés. Voilà quelque chose de rassurant sur lequel on peut s'appuyer.

Je ne peux m'empêcher de rire.

— Il y a parfois des coïncidences étranges, non ? Si tu croises plusieurs fois la même personne dans la même journée, ça ne peut pas être un hasard. C'est forcément que l'univers t'envoie un message ?

— Ou que le gars est un pervers et qu'il te suit pour te découper en morceaux dans une rue sombre, suggère Audrey. Il ne faut jamais sous-estimer cette possibilité.

— Il y a des tas d'hypothèses logiques pour expliquer que tu croises le type plusieurs fois dans ta journée, poursuit Samya, je ne suis pas sûre que les messages de l'univers aient quelque chose à voir là-dedans. Et pourtant je suis une incorrigible romantique, tu le sais.

— Vous êtes désespérante de terre-à-terrisme[1], les filles.

— Tout ça ne nous dit pas ce que tu vas répondre à ce Jonathan. Sosie ou pas d'un type imaginaire, signe du destin ou simple programmation informatique faite par Air France, il est sûrement mieux que celui qui écrit des blagues Carambar.

— Je vais accepter son invitation. Je sens qu'il faut que je le fasse.

— Moi, la seule chose que je sente, c'est la divine odeur du bacon en train de frire. On se commande des hamburgers ?

Quinze minutes plus tard, devant des hamburgers à faire tourner Claudia de l'œil, et même s'il n'est plus question de Jonathan mais des déboires d'Audrey pour monter sa comédie musicale avec ses élèves, je ne peux

1. Terre-à-terrisme ou chiantitude, c'est vous qui choisissez.

m'empêcher de penser à lui. Ça ne pouvait pas être un hasard de me retrouver assise à côté de lui. Et si sa rencontre avait pour but de m'envoyer un message : qu'un trait d'union est possible entre ma vie actuelle et ma vie parallèle ?

Décembre bis

CHAPITRE 53

Le salon de l'appartement ne ressemble plus à rien, envahi qu'il est par les matériaux de récupération destinés à créer nos futures décorations de Noël. Après les torchons en soja, c'est le grand projet de Claudia.

Devant nous, sur la table basse, se trouvent tous les rouleaux de papier toilette vides qu'elle nous interdit de jeter depuis des semaines.

— Je sais ce que vous vous dites, les filles. À première vue, les rouleaux de papier toilette ne sont pas les objets les plus déco du monde. Et pourtant, on peut bidouiller des tas de trucs sympas avec.

— Sympas, je ne sais pas, mais bidouiller, c'est sûr.

— Allez, Max, fais appel à ta fibre créatrice, à ton imaginaire !

— Ma fibre créatrice s'est arrêtée au stade des cadeaux de fête des Mères de l'école primaire. Une année, je me souviens que j'avais fait une boîte à bijoux à partir d'une boîte de camembert. J'avais collé sur le dessus des macaronis peints de toutes les couleurs. C'était d'une beauté saisissante.

Je glisse un œil vers Samya pour découvrir qu'elle tient plusieurs rouleaux dans les mains et qu'elle s'affaire à les plier.

— Mais qu'est-ce que tu fais, Samya ? chuchoté-je. Arrête, ça l'encourage.

— Pourquoi ? Moi je trouve que c'est une super idée de fabriquer des décorations de récupération.

— Merci, Samya. Au moins une qui me comprend et qui est sensible à la lutte contre cette surconsommation qu'on nous impose pendant cette période de fêtes.

— Je ne serais pas aussi affirmative, au vu des dizaines de cadeaux que j'ai déjà achetés pour Inès, mais je suis sûre qu'on va bien rigoler.

Sceptique mais amusée, je les regarde faire pendant quelques minutes. Elles plient, collent, découpent… Tentatives de transformation de rouleaux de papier toilette en suspensions à accrocher sur le sapin.

Je me lève pour aller préparer du thé, on va en avoir bien besoin, et j'allume la radio au passage, pour créer un fond sonore.

Lorsque je les rejoins, elles sont concentrées sur leurs œuvres. J'attrape à mon tour quelques rouleaux : après tout, j'ai peut-être une fibre créatrice que j'ignore.

Elles sont toutes là, alignées devant nous, nos décorations. Maison, les décorations. Inutile de le préciser.

— C'est…

— Avant-gardiste ?

— Original ?

— Affreusement moche ! soupire Claudia, dépitée.

Samya et moi explosons de rire.

— Un instant j'ai eu peur que tu trouves ces… ces choses jolies. Faut être lucide, on est parties de rouleaux de papier toilette, ça ne pouvait pas donner autre chose que des rouleaux moches décorés.

— Franchement, sur Pinterest, ça ne rend pas du tout comme ça.

— C'est comme sur Instagram, tout est une question de filtres. Allez, on a bien rigolé quand même. Tiens, bois un peu de thé, je t'ai préparé ton préféré : gingembre-thuya.

Devant la mine inquiète de Samya, je lui indique d'un signe de tête discret la seconde théière que j'ai préparée pour nous, un thé vanille-caramel chimique extrêmement délicieux.

À la radio passe une chanson que je commence à fredonner.

— « *It's like wayhihayyyyy for your mmmmm day, it's a free riiiide of yours month anywayyyy.* »

Claudia et Samya se regardent avant de pouffer.

— Bah quoi ? Elle est chouette, cette chanson, non ?

— Ah, mais tout à fait. C'est juste qu'on se demande en quelle langue tu la chantes quoi…

« *It's like rain on your wedding day*
It's a free ride when you've already paid
It's the good advice that you just didn't take
Who would've thought, it figures. »

— Je chante en yaourt si je veux ! *Isn't it ironic, don't you think ? It's like wayhihayyyyy.*

Je me lève et j'attrape notre tentative de couronne de Noël pour m'en servir comme d'un micro. Je chante à tue-tête et accompagne ma prestation de mimiques appuyées.

« C'était *Ironic* d'Alanis Morissette. Juste avant de nous quitter, je vous rappelle notre grand concours du moment À la recherche de la nouvelle voix d'Europe 1. »

— On continue ? proposé-je. Rien de tel que de se défouler en chansons après avoir laissé parler nos fibres artistiques.

— Mais chut ! me coupe Samya. Écoute.

— Quoi, chut ? Tu brides ma créativité, là ! je proteste en riant.

« Pour participer, rien de plus simple, envoyez-nous une petite vidéo de vous, expliquant pourquoi vous êtes la nouvelle voix de demain. Les meilleures vidéos seront soumises au vote d'un jury de professionnels. Le gagnant aura la chance de participer à l'émission de Justine Julliard en tant que chroniqueur. »

— Tu as entendu ? Ils organisent un concours pour trouver une nouvelle voix ! Ça ne te rappelle rien ?

— Non, quoi ?

— Tu ne m'as pas parlé d'une sorte de concours d'animateur radio que tu avais gagné dans ton délire à la *Retour vers le futur* ?

— Oui, mais…

— Eh bien alors, fonce ! C'est l'occasion, non ? Tes histoires de signes et d'univers qui te parle, tu as déjà oublié ? Il faut que tu participes, Max, c'est ta chance.

C’est vrai, c’est sans doute un signe. Un autre, en plus de la rencontre avec Jonathan. L’occasion rêvée d’amener dans ma vie ce qui me plaisait dans l’autre. Alors pourquoi ça ne m’enthousiasme pas ? Qu’est-ce qui ne tourne plus rond, chez moi ?

CHAPITRE 54

Pourquoi a-t-il fallu que je leur parle de ma vie parallèle ? De ce prix gagné lors de ce concours de détection de nouveaux talents, de ma carrière de journaliste ? Assise sur mon lit, maquillée par Claudia, maquillage bio cela va sans dire, j'observe avec inquiétude Samya et Audrey qui s'affairent derrière la caméra empruntée au père d'Audrey après moult négociations et la promesse d'en prendre le plus grand soin.

— Les filles, on n'a peut-être pas besoin d'en faire autant ?

— Tu plaisantes ? La lumière, l'image, c'est essentiel. Il faut que tu sois sublime.

— Oui, enfin, ce qu'il cherche, c'est une voix, pas un mannequin.

— Chroniqueuse radio, ce n'est qu'un début, ma chère, ensuite nous voyons loin. Je pense télévision, je pense cinéma. Ryan Gosling et toi dans une comédie romantique.

Je ris.

— Sérieusement, Max, depuis qu'on se connaît, tu nous bassines avec ton histoire d'école de journalisme, de cheville cassée et de l'univers qui te parle. Tu en as même rêvé. Alors, maintenant que l'occasion se présente, nous n'allons pas te laisser te débiner.

— C'est ça. On supporte tes si et tes peut-être à longueur de journée, ajoute Samya, alors tu ne te déroberas pas.

Je soupire.

— D'accord. Mais on peut faire en sorte que ça ne prenne pas la journée ? Je dois retrouver mes élèves au lycée pour le journal. C'est aujourd'hui qu'ils me soumettent leurs idées d'articles. Et j'ai plein de pistes moi aussi à leur soumettre.

— On s'en fout, des élèves et du journal ! Quand ils auront vu ta vidéo, c'est certain que c'est toi qu'ils choisiront. Tu n'auras plus besoin de faire ce boulot de prof.

— Mais…

D'un geste, Audrey coupe court à ma protestation. Puis elle me mime le décompte avec ses doigts. Cinq, quatre, trois, deux, un, elle me fait signe, la caméra tourne.

— Bonjour. Moi, c'est Maxine. Mais tout le monde m'appelle Max.

— Coupez ! s'exclame Audrey, en mode réalisatrice en route vers les oscars. Tu ne peux pas y mettre plus d'énergie, plus de conviction ? On dirait un homard à l'approche d'une casserole d'eau bouillante.

Samya pouffe à côté d'elle.

— Ce que cherche à te dire Audrey Spielberg, ici présente, c'est que tu n'as pas l'air hyper-enthousiaste…

— D'accord, on y retourne. Et cette fois-ci je vous le promets, j'essaie d'y mettre de la conviction.

Nouveau décompte mimé par Audrey, je me mords la lèvre pour ne pas rire. Elle me fait un signe, je déploie mon plus grand sourire et le fixe sur mon visage.

— Bonjouuuuur ! Moi, c'est Maxine, mais tout le monde m'appelle Max…

— Coupez ! réitère Audrey.

— Mais quoi ? J'y ai mis de l'énergie, là.

— C'est quoi, ce sourire crispé ? Tu es constipée ? Nan, parce que franchement, ça fait constipé. Tu ne trouves pas, Samya ?

Je m'affale sur mon lit.

— Ta coiffure ! s'écrie Samya, tu vas bousiller ton brushing.

Soudain, je suis prise d'un fou rire. Je me redresse et regarde mes deux meilleures amies.

— Quoi ? m'interroge Audrey, réprimant son hilarité avec difficulté.

Impossible de m'arrêter ni de prononcer le moindre mot. J'ai tant de mal à me contenir que ma vessie menace, la traîtresse, de me lâcher. Audrey attrape un coussin au pied de mon lit et me le balance dessus, gagnée à son tour par mon hilarité.

— Je ne suis pas certaine que le maquillage de Claudia soit waterproof, me dit-elle. Après, on pourra sûrement envisager de tourner une vidéo pour Halloween.

Toutes les deux s'allongent à côté de moi et nous rions ensemble pendant plusieurs minutes. Darcy trépigne et jappe autour du lit, sa petite queue s'agitant frénétiquement.

— Je crois qu'il vaut mieux laisser tomber, dis-je dès que j'ai repris mon souffle.

— Mais non ! On va recommencer, et cette fois tu seras parfaite. Tu étais sous pression et…

— Non, ce que je veux dire, c'est que je ne vais pas faire cette vidéo du tout. Je ne participerai à ce concours.

— Pourquoi ?

— Je crois que je viens seulement de réaliser qu'en fait je n'ai pas du tout envie de devenir journaliste ni de faire de la radio. C'est quelque chose que tu as dit tout à l'heure, Audrey, quelque chose de très juste.

— Enfin, tu le reconnais, jubile-t-elle avec un clin d'œil.

— Oui, enfin, ne t'emballe pas. Tu as dit qu'on s'en foutait, des élèves et du journal. Et que si je gagnais, je n'aurais plus besoin de faire ce métier de prof. Sauf que… j'aime être prof, en fait. J'aime ce projet de journal, j'ai noirci d'idées des tas de pages. Je n'en avais juste jamais réellement pris conscience.

— Mais, et ta vie parallèle ? Ta carrière ? Tu semblais si exaltée en nous la racontant.

— C'était grisant, oui. Mais pas d'être animatrice radio. De monter un projet, de m'investir, d'être suivie, ça c'était grisant. Vous savez, l'autre jour, j'ai demandé à Laetitia si quelque chose aurait pu l'empêcher de devenir dentiste. Et elle m'a répondu que non, rien n'aurait pu l'en dissuader. Et je crois qu'elle a raison. Quand on veut vraiment quelque chose, que ça nous tient à cœur, rien ne peut nous arrêter. Je me suis cassé la cheville ce jour-là, mais rien ne m'interdisait de retenter le concours l'année suivante.

— Ne me dis pas que tu ne crois plus aux signes ?

— C'est pas ça… Mais je crois que je m'en sers, que je me cache derrière eux pour ne pas assumer qu'en réalité je fais des choix. Comme celui de devenir prof. Sauf que c'était plus commode de me dire que c'était par défaut.

— Alors ça, jamais je n'aurais cru ! s'exclame Audrey. Pitié, ne me dis pas que tu vas devenir cartésienne et ponctuer tes phrases de formules de Pythagore ou d'autres mathématiciens boutonneux, myopes et bandant mou !

— Hey ! Laisse Pythagore en dehors de ça, réplique Samya, il ne t'a rien fait.

— Non, non, je ne vais pas me découvrir une passion pour les mathématiques. Juste arrêter de me voiler la face. Je suis heureuse, en fait. Je n'ai pas envie de cette autre vie, de cette autre moi. J'ai tout ce dont j'ai besoin.

Je m'assois sur mon lit pour caresser ma chienne dont le regard me supplie de la laisser venir se vautrer avec nous sur la couette.

— Mais qu'est-ce qu'on va faire de cette caméra ? demande soudain Audrey. Maintenant qu'elle est là…

— Un strip-tease ! je m'exclame, prise d'une envie subite. Pour notre proviseur sexy.

Sans réfléchir, je joins le geste à la parole et me mets debout sur le lit, fredonnant *You can leave your hat on.*

— Lalalala lalala, c'est pour toi, Yliès ! dis-je avec une moue boudeuse aguicheuse que j'imagine très réussie, et je commence à déboutonner ma chemise.

À côté de moi, le fou rire reprend de plus belle.

— Ne fais pas attention à elles, Yliès, elles n'en valent pas la peine.

Je fais rouler les épaules, manque de perdre l'équilibre et de basculer la tête la première sur la caméra.

— Audrey ? Pourquoi ça clignote, ce truc ? Ne me dis pas que…

— Oups ! Je crois que je n'ai pas dû l'arrêter tout à l'heure !

CHAPITRE 55

Quoi de plus intéressant à faire un samedi matin que de cuire des saucisses pour les mettre dans des sandwichs ? Si je réponds « un tas d'autres choses », est-ce que je passe pour une rabat-joie ?

Derrière ma grille de cuisson, tentant de réprimer ma nausée, je retourne ma dixième fournée de saucisses. Il paraît que j'ai accepté de participer à cette journée portes ouvertes au refuge Babines&B il y a des mois. Je soupçonne Claudia de m'avoir extorqué cet accord pendant mon sommeil.

— Alors, Zoé ? Es-tu contente d'être lancée dans le grand bain du journalisme d'investigation ?

Quand Claudia m'a rappelé que j'avais passé cet engagement douteux, j'en ai profité pour aussitôt en parler à mon groupe du projet journal. Cette journée était parfaite pour un sujet sur la défense de la cause animale. Zoé s'est tout de suite portée volontaire. Nous voici donc toutes les deux affectées au stand saucisses/sandwichs, ce qui sonne comme unc punition. L'objectif de ces portes ouvertes est de récolter des fonds pour permettre au refuge de continuer à fonctionner. Des animations sont prévues : vente de sandwichs gastronomiques donc, ainsi qu'une course de douze kilomètres. Samya et Audrey se sont inscrites, et j'en rigole à l'avance.

— Est-ce que l'on peut classer la cuisson de saucisses dans la catégorie journalisme d'investigation ? me demande timidement Zoé.

— Dans la mesure où ce sont des saucisses végétales, je dirais que oui. Enfin, ce sera surtout vrai au moment de la dégustation, si je peux me permettre.

En effet, s'étalent devant nous des dizaines de saucisses blanchâtres sous la peau desquelles on aperçoit des bouts de trucs verts…

— Ça va, les filles ? demande Claudia, venue nous encourager sous la tente.

— On ne peut mieux ! Cette bonne odeur de saucisse est idéale pour un samedi matin, je lui réponds avec un clin d'œil.

— Merci en tout cas d'être là, Zoé. Max m'a dit que tu allais faire un article sur le refuge pour le journal du lycée.

— Oui. C'est bientôt Noël et, d'ici six mois, à l'approche des grandes vacances, on retrouvera abandonnés sur les autoroutes des tas de chiens offerts avec un nœud rouge sous le sapin : soixante mille chaque été, alors c'est essentiel de sensibiliser les gens !

— Et toi, Claudia ? Tout se passe bien de ton côté ? Le tracé de la course est fin prêt ?

— Oui, tout est au point. Je suis contente, il y a près de cinq cents inscrits. Le bouche à oreille a bien fonctionné. Va falloir mettre le paquet niveau sandwichs. Après avoir couru douze kilomètres, les gens seront affamés.

Et certainement beaucoup moins ravis de déguster des saucisses végétales, pensé-je…

— Tu entends ça, Zoé ? Notre tâche est de la plus haute importance.

— Tiens, au fait, tu sais qui s'est inscrit pour la course ? me demande Claudia.

— En dehors de mes deux meilleures amies qui ont dû courir en tout et pour tout cinq cents mètres dans leur vie, tu veux dire ? Non, je ne sais pas.

— Ton proviseur canon !

— Yliès ? Je veux dire M. Dupuis, je me reprends en glissant un regard gêné vers Zoé.

— Tu connais plusieurs proviseurs canons ? Oui, Yliès. Moi, je dis qu'un type qui participe à une course caritative est un type bien. Tu devrais sortir avec lui.

— Mais enfin, Claudia ! C'est mon supérieur hiérarchique, ça ne se fait pas, je lui réponds tout en essayant de lui faire comprendre d'un mouvement de la tête qu'une élève est à côté de moi et que la conversation n'est pas appropriée.

— Elle a raison, votre copine, M. Dupuis est hypersexy. Nous, on est trop jeunes mais vous, vous êtes assez vieille pour lui. Enfin, je veux dire…

Claudia éclate de rire.

— Tu vois, la vérité sort de la bouche des enfants !

Au bout de trois heures, cinq cents saucisses sont cuites et maintenues au chaud, prêtes à garnir des morceaux de pain végan sans gluten et à régaler, nourrir en tout cas, des coureurs affamés.

Zoé profite d'un temps de répit pour aller interviewer les bénévoles du refuge sur leur travail. Elle prend frénétiquement des notes sur un calepin blanc qu'elle a acheté pour l'occasion, m'a-t-elle dit. Ma poitrine se gonfle de fierté. Le projet de journal prend forme. Cinq rubriques ont été choisies pour le premier numéro qui doit paraître d'ici la semaine prochaine. L'article de Zoé viendra donc compléter ceux d'Anaïs et de Julien, dont il me tarde de lire le texte : « Pour ou contre le brocoli à la cantine ».

Je m'approche du stand où Claudia distribue les dossards aux coureurs. J'aperçois Samya et Audrey, très concentrées, qui font des étirements. Je sors mon téléphone de mon sac à main pour prendre des photos. En cas de besoin, toujours avoir en stock des clichés compromettants.

— Je te file un coup de main ? proposé-je à Claudia.

— Avec plaisir, je ne sais plus où donner de la tête. Tiens, prends cette liste-là.

Alors que je tente de classer les dossards par ordre alphabétique, selon les noms des participants, j'entends quelqu'un m'appeler :

— Maxine ?

Je redresse la tête. Ce type devant moi m'est vaguement familier, mais d'où…

— Oui ?

— Tu ne me reconnais pas ? C'est moi, Germain ! Nous avons dîné ensemble, il y a quelques mois.

Ah oui, c'est ça, Germain. Le comptable.

— Mais oui, Germain, bien sûr que je me souviens de toi ! *Et mon amour-propre aussi*, ajouté-je silencieusement. Je ne savais pas que tu serais dans le coin.

— Je participe régulièrement à des courses et je suis un fervent défenseur de la cause animale, alors c'était l'occasion rêvée.

Qu'est-ce qu'il m'avait balancé, déjà, par texto ? Ah oui, que je n'étais pas assez stable, qu'il avait besoin d'une fille sur qui il pouvait compter. Mais j'y pense…

— Claudia !

— Oui ?

— Je voudrais te présenter un ami. Claudia, Germain. Germain, Claudia.

— Bonjour, répondent-ils en même temps avec un grand sourire et en plus, pour Claudia, une pointe de rougeur sur les joues.

— Claudia est bénévole pour le refuge et aussi membre du Gloups. Nous sommes colocataires.

— Membre du Gloups ? J'ai failli rejoindre l'organisation l'année dernière.

— Ah oui ? Il faut le faire cette année, alors. Nous avons plein d'actions prévues dont certaines risquent de faire grand bruit.

Je les regarde discuter pendant quelques instants et ne peux m'empêcher de sourire. Ces deux-là se plaisent, c'est visible. Comme il fait un froid d'autruche, il lui propose d'aller s'asseoir sous le barnum et de continuer à faire connaissance autour d'un café. Oubliant ce pour quoi elle est là, elle accepte. Ils s'éloignent. Si on se trouvait dans un roman, on pourrait presque croire que l'auteur l'a fait exprès[1].

1. Presque…

Toujours le sourire aux lèvres, je récupère la liste de Claudia pour m'occuper des inscrits qui attendent leurs dossards.

— Bonjour, Maxine.

Décidément… Est-ce l'assouplisseur de chaussures, cette fois ? Non, parce que je n'ai plus de copines en stock, moi. Et puis, je ne peux pas faire ce coup-là à Audrey.

— Ah bon-bonjour, Yliès, bredouillé-je. Je n'attendais que vous. Je veux dire, mon amie Claudia m'a dit ce matin que vous étiez inscrit. Voici votre dossard. Je l'avais mis de côté exprès.

Emportée par mon baragouinage, je ne m'aperçois pas que je défais le papier de protection du dossard et que je le colle sur son torse en appuyant à plusieurs reprises. Torse ferme et musclé, j'en étais sûre.

— Merci, je crois qu'il est bien collé.

Réalisant ce que je suis en train de faire, je retire précipitamment ma main.

— Pardon, je… Tout ça, c'est la faute des saucisses végétales.

Pourquoi ? Alors là, aucune idée. Mais Yliès éclate de rire.

— Bonne course à vous, Yliès !

— J'espère que vous serez sur la ligne d'arrivée pour me féliciter.

Vous féliciter, vous déshabiller, vous embrasser, tout ce que vous voudrez.

— Vous pouvez compter sur moi.

— Franchement, les filles, vous n'êtes pas sérieuses ! À peine la course a-t-elle démarré que vous êtes déjà assises sur un banc.

— On se perfectionne en regardant les techniques et les foulées des autres, me répond Audrey. Je ne vois pas où est le mal !

Je les pousse un peu pour m'asseoir à côté d'elles.

— C'est vrai que celui-ci a une chouette technique, dis-je en désignant un type aux fesses rebondies. Je m'en inspirerais bien.

Faute de courir, nous encourageons les participants à leur passage. Alors que la course touche à sa fin et que nous nous levons pour rejoindre la ligne d'arrivée, mon téléphone vibre dans la poche de ma doudoune.

— Ça, ça doit être Claudia et ses saucisses qui me rappellent à l'ordre.

< Bonjour Maxine, c'est Jonathan. Finalement je ne vais pas pouvoir le 15 décembre. Une réunion qui s'est décalée. Je te propose le 3 janvier et cette fois je te promets que je ne te ferai pas faux bond. J'ai hâte que tu me racontes ton voyage au Canada et si tu as eu des réponses à tes questions. Bises. >

— Max, regarde, c'est Yliès qui arrive, me taquine Samya. Lui aussi, tu t'en inspirerais bien pour perfectionner ta technique, non ?

Yliès en effet est sur le point de franchir la ligne d'arrivée. Frais et beau comme un dieu grec, il nous salue.

Mon téléphone vibre de nouveau

< Erreur de planning, pas le 3 janvier, mais le 4 plutôt. Ça te va ? >

— Elle insiste, Claudia, dis-moi ! reprend Samya à côté de moi.

— C'est pas Claudia, réponds-je en tapant ma réponse.

— C'est qui, alors ?

— Personne. Allez viens, on va féliciter les coureurs.

< *Bonjour, Jonathan. Je ne vais pas pouvoir. En réalité, je ne suis pas libre. Je suis désolée. Prends soin de toi.* >

Il est temps de ne plus voir de signes partout. Du destin au hasard, il n'y a finalement que quatre lettres et un pas. Mais ce qui compte, au fond, c'est que ni l'un ni l'autre ne sont à la barre de nos vies.

CHAPITRE 56

Dernier jour de cours au lycée. Ce soir, ce sont les vacances de Noël. Je trépigne d'impatience et de trouille aussi. Impatience de m'envoler vers mes parents avec mon frère et ma sœur, trouille parce que pour ça il va falloir reprendre l'avion. Je n'y croyais pas vraiment, et pourtant Laetitia comme Julien ont réussi à s'organiser pour alléger leurs plannings. J'ai une pensée pour toutes les rages de dent et les dépressions qui vont devoir prendre leur mal en patience durant une semaine.

Nous décollons demain à la première heure. Ma valise n'est pas encore faite. Je suis laaaaaarge.

Maman était tellement heureuse quand je lui ai annoncé notre venue. J'avais d'abord pensé qu'on pourrait lui faire la surprise, mais cela l'aurait privée du plaisir de préparer notre arrivée.

— Je vous remercie d'être tous présents pour cette réunion. Je sais que vous êtes impatients d'être en vacances, je vous promets donc que je ne parlerai pas pendant des heures…

Yliès nous a réunis pour faire le point sur les différents projets que nous avons lancés, afin de transformer le lycée en un véritable lieu de vie. En point d'orgue, il y a aura la distribution du n° 1 de notre *Grant's*. L'équipe rédactionnelle s'est étoffée depuis le début. Ce sont désormais cinq élèves qui participent au projet. Je dois dire que je suis plutôt contente de ce premier numéro. Il est artisanal et les articles sont parfois écrits maladroitement, mais il est le fruit d'une véritable implication. Je suis fière de mes élèves et très heureuse de les aider à mener à bien ce projet.

Depuis que j'ai compris que j'aimais ce boulot et que je n'avais jamais eu réellement envie d'en changer, tout est différent. Je fais cours avec enthousiasme.

Certes, Flaubert ne trouve toujours pas grâce aux yeux de mes élèves, mais je ne désespère pas.

— Maxine, vous voulez bien nous présenter le travail de vos secondes ?

— Avec grand plaisir !

Je distribue à chacun un exemplaire du journal et leur laisse deux minutes pour en feuilleter les quelques pages.

— Les articles ont été entièrement rédigés par les élèves qui ont également choisi les différentes rubriques. Elles varieront d'un numéro à l'autre. Nous avons essayé d'être le plus large possible pour intéresser tout le monde. Chaque numéro proposera une enquête d'opinion. Cette fois-ci, était en question le bien-fondé de servir du brocoli à la cantine, et sans surprise la réponse majoritaire est le non. Je peux d'ores et déjà vous révéler le thème de la prochaine enquête : les mathématiques servent-elles à quelque chose dans la vie ?

— Quoi ?! s'insurge Samya. Bien sûr, qu'elles servent à quelque chose !

Je ris.

— Attends-toi à être interrogée par mes élèves. Et tu as intérêt à préparer de solides arguments. Ils sont difficiles à convaincre.

— Merci beaucoup, Maxine, pour ce travail. Je souhaite longue vie au journal du lycée. Je tiens tous à vous remercier pour votre implication. Une troupe de comédie musicale, un atelier photographie, un club d'échecs et, donc, un journal : voilà exactement ce qu'il nous fallait pour faire entrer ce lycée dans la modernité. Et maintenant que nous avons fait le tour de tout le monde, je vous propose de partager un verre et de déguster les biscuits de Noël préparés spécialement par les élèves de l'atelier pâtisserie.

Nous nous levons dans un joyeux brouhaha annonciateur des vacances imminentes et nous dirigeons vers la table où sont disposées des coupes de champagne et de pleines assiettes de biscuits qui ont l'air délicieux.

— À la vôtre, les filles ! trinqué-je avec Samya et Audrey. Quand est-ce que tu pars rejoindre tes cousins à la montagne finalement, Audrey ?

— Dimanche. J'ai hâte. On va s'éclater sur les pistes.

— Et toi, Samya ? Tu pars quand chez ta mère ?

— Euh… Finalement, je ne pars pas.

— Ah non, tu ne vas pas rester toute seule pour Noël ! m'exclamé-je. Si c'est ça, je t'embarque de force avec Laetitia et moi. On trouvera bien un moyen de te coller dans la soute en toute discrétion.

— J'ai dit que je ne partais pas, ça ne veut pas dire que je serai seule… C'est Gilles… Il m'a envoyé un message hier. C'est fini avec son actrice et… enfin, c'est bientôt Noël… Et puis sa fille lui manque. Et moi…

— Ne me dis pas que tu vas lui pardonner ? s'insurge Audrey. Pas après ce qu'il t'a fait !

— À vrai dire, je n'en sais rien. Je lui en veux, c'est certain, mais en même temps je crois que je l'aime encore. Alors, on verra bien…

Avant que je puisse répliquer, nous sommes interrompues par Yliès :

— Mesdames, permettez-moi de célébrer cette fin d'année avec vous.

Nous trinquons avec lui chacune à notre tour, nous regardant dans les yeux comme la tradition le veut. Il fait chaud ici, non ?

— Maxine, reprend-il, je voulais encore vous féliciter pour le journal. C'est vraiment une très bonne idée que vous avez eue là. J'ai toujours su que je pouvais compter sur votre implication.

— Ce n'est pas moi qu'il faut féliciter, mais les élèves, dis-je en rougissant malgré tout du compliment. Ce sont eux qui ont fait tout le travail.

— Ce champagne manque de petits gâteaux, tu ne trouves pas, Samya ? Allez, viens, on va en chercher, propose Audrey en tirant brusquement Samya par la manche de sa robe.

Mais qu'est-ce qu'elles me font comme plan ? Yliès, lui, n'a pas bougé. J'essaie de ne pas penser à l'odeur de son parfum, que j'adore. De ne pas me rappeler son torse musclé. De ne pas regarder son sourire à déchirer les petites culottes. J'essaie, mais ça ne marche pas du tout.

Non pas sur la bouche !
Même sous la douche !
Même si c'est dur.

— Maxine ? Je me demandais… Enfin, je me disais que peut-être…

And when I get that feeling
I want sexual heeling

— Oui ?

Que je t'aime !
Que je t'aime !
Que je t'aime !

— Vous seriez d'accord si je vous invitais à dîner ? Je sais que nous travaillons ensemble et que peut-être…

— Vous savez ce qu'on dit ? Avec des si et des peut-être, les chiens porteraient des baskets. Bien sûr, que j'ai envie de dîner avec vous. Ce sera avec plaisir.

Janvier

ÉPILOGUE

C'est la première fois que je remets les pieds ici depuis trois ans. Depuis l'enterrement. Rongée par la culpabilité, je n'avais pas le courage de venir. Et puis elle détestait les cimetières.

Mais aujourd'hui, j'éprouve le besoin d'être là, de lui parler, même si je sais que je vais me sentir ridicule, seule devant une pierre tombale.

— Tu te souviens de ce que tu me disais quand j'étais petite ? Que les gens que l'on aime ne disparaissent jamais complètement, qu'ils restent là avec nous et que l'on peut faire appel à eux si on en a besoin. J'avais six ans et notre chienne venait de mourir. Cette pensée m'a réconfortée pendant des années avant de s'effacer devant les réalités de la vie. En même temps que la petite souris et le père Noël.

» Ça m'est revenu lorsque je me suis réveillée dans mon appartement, après cette expérience de vie parallèle. Je ne sais pas ce qui s'est passé, si je l'ai rêvée ou vécue, mais j'ai le sentiment que, quelle que soit l'explication, elle est liée à toi. J'étais perdue sans le savoir et tu m'as aidée. À plein de niveaux.

Mal à l'aise debout face à cette pierre grise à l'épitaphe sommaire, je m'adosse à elle.

— Grâce à toi, je me suis réconciliée avec maman. J'étais loin d'imaginer ce que j'allais découvrir en allant lui rendre visite. Jamais je ne me serais doutée qu'elle avait été adoptée et que tu le lui avais caché.

» Pourquoi, Moune ? Je ne cesse de me le demander. Et hélas, je sais que je n'aurai jamais de réponse. Tu avais peur pour elle ? Ou tu voulais te protéger ? Peur de son rejet, peur d'un malheureux « Tu n'es pas ma mère » au cours d'une dispute banale ? C'était injuste pour maman de ne pas savoir. Elle aurait dû avoir le choix. Tout le monde devrait pouvoir avoir le choix.

» Pourtant, je crois qu'elle ne t'en veut plus. Sa colère et son ressentiment se sont effacés avec le temps. Elle est allée à la rencontre de sa mère biologique et elles ont finalement réussi à construire un lien. Jamais je ne pourrai considérer cette femme qui n'a plus toute sa tête comme ma grand-mère, mais je lui suis reconnaissante d'avoir su apaiser les souffrances de maman.

» Avec Julien et Laetitia, nous sommes allés les voir pour Noël. On a tous beaucoup pleuré. Et beaucoup mangé aussi. Comme si maman voulait rattraper le temps en cuisinant pour nous tous les repas que nous avons manqués, ces dernières années. Pour l'instant, papa et elle restent au Canada. Tant que Gabrielle sera là, maman refuse de la laisser. J'essaie de ne pas penser au moment où elle la perdra.

» Samya et Audrey ont beau ne pas y croire, je sais que je n'ai pas inventé ce que tu m'as dit ce jour-là dans ce restaurant. Que c'était son histoire, que c'était à elle de m'en parler…

» Cette drôle d'aventure m'a aussi permis de réaliser que j'étais heureuse de ma vie, que je l'avais choisie et qu'elle m'apportait l'équilibre dont j'ai besoin. Tout ce temps passé à me demander ce qui aurait pu être, c'était autant d'excuses pour ne pas assumer celle que je suis.

» C'est tentant de penser que les choses ne se sont pas déroulées comme elles auraient dû, de se plaindre, d'imaginer d'autres scénarios. En réalité, c'est se cacher derrière un mensonge, parce que c'est souvent difficile d'assumer qui l'on est. Je l'ai compris, si j'avais vraiment voulu devenir journaliste, rien n'aurait pu m'en empêcher, rien. Il aura fallu que je vive cette vie, que je n'aime pas celle que j'y étais pour le comprendre. J'aime mon métier, même si intéresser les élèves aux grands auteurs n'est pas facile tous les jours, c'est une telle satisfaction quand j'y parviens. Et maintenant, il y a le journal du lycée. Et Yliès.

» Enfin, quand je dis Yliès, je m'emballe un peu. Nous sommes seulement allés dîner ensemble la semaine dernière. J'essaie de ne pas penser aux prénoms de nos futurs enfants. *Justine et Maddie.* Les vieux réflexes ont la peau dure.

» Tu me manques, Moune. J'aurais tellement voulu avoir plus de temps avec toi. Je vais croire, comme la petite fille de six ans que j'ai été, que les gens que l'on aime ne disparaissent jamais. Et qui sait, je te retrouverai peut-être, une nouvelle fois.

Derrière moi, j'entends des bruits de pas sur le gravier. Se pourrait-il que ?

Je me retourne vivement. Une dame marche dans l'allée, elle s'éloigne vers la sortie. Est-ce que…

Je me lève et me précipite vers elle.

— Moune ? Moune !

— Pardon, c'est à moi que vous parlez ? me demande la dame que je viens de rattraper.

— Excusez-moi… Un instant, j'ai cru que… Je vous ai prise pour quelqu'un d'autre. Je suis désolée de vous avoir importunée.

— Ça m'arrive tout le temps aussi, ne soyez pas désolée. Je vous souhaite une bonne journée.

Je regarde la femme s'éloigner. Elle a ta démarche et dans la voix quelque chose de ton intonation. Mais ce n'est pas toi. Un rayon de soleil perce timidement à travers les nuages, d'ici une heure le ciel sera complètement dégagé, l'idéal pour me promener avec Darcy. Peut-être que je proposerai à Yliès de se joindre à nous… Non, pas peut-être.

Je saisis mon téléphone et compose son numéro.

Merci, Moune, merci pour tout.

FIN

Remerciements

Déjà le troisième roman, l'aventure est si belle.

Merci à Elsa et Michel Lafon pour leur confiance.

Merci à Mister TooMuch, Denis Bouchain, pour m'avoir une nouvelle fois accompagnée sur ce roman. Je perçois chez toi une fragilité et un manque de confiance qui me touchent par ce qu'ils me renvoient. Merci pour ton regard de professionnel, pour tes remarques toujours aussi justes, pour tes compliments et tes encouragements. Merci de rire de mon humour. Merci de me faire progresser. J'ai déjà hâte d'être sur la prochaine histoire avec toi.

Merci à toute l'équipe des éditions Michel Lafon sur laquelle je sais que je peux compter : MissizBee, mademoiselle Clochette, Digital Girl, Mister F, alias Bénédicte, Anissa, Marion et Florian. Grâce à vous, j'ai le sentiment de faire partie d'une famille.

Merci à Miss DubblePee, alias Perrine Brehon, mon éditrice chez Pocket, ainsi qu'à toute l'équipe pour son soutien. Être chez Pocket me remplit d'une immense fierté.

Merci à ma BellaJulia pour son enthousiasme et son amitié. Merci de pleurer et de rire en me lisant. Merci de défendre mes romans avec tant de ferveur. Ce roman-là est pour toi.

Merci à Amélie Antoine, mon acolyte d'écriture et de salons. Mon amie avant tout. Merci pour ces appels « Promis, juste cinq minutes » qui en durent des dizaines. Merci de me faire rire. Merci d'être là. L'aventure ne serait pas la même sans toi.

Merci à Marie Vareille : c'est toi qui avais raison, il fallait que Maxine fasse un choix. J'espère que tu accepteras encore longtemps de me lire, tes remarques me sont précieuses.

Merci à Claudia qui est à l'origine de la Claudia de l'histoire et de son prénom, donc. Je t'aime beaucoup, et je suis ravie de cette proposition que tu m'as faite.

Merci à tous ceux qui sur Facebook se sont amusés à me proposer des métiers bizarres, à ma demande. Votre imagination m'a beaucoup fait rire.

Merci à tous les libraires qui accueillent mes romans avec enthousiasme depuis le premier. Sans vous, je ne suis pas grand-chose. Une pensée particulière pour Nadège Torreton, Sandrine Dantard, Anne Martelle, Faustine Loridan, Delphine Menez et Philippe Fournier.

Merci à tous les lecteurs de *Tu as promis que tu vivrais pour moi* qui m'ont envoyé des messages pour me dire combien le roman leur avait plu, qu'ils attendaient le suivant avec impatience. Vous me faites pousser des ailes. J'espère ne jamais vous décevoir. Vous pouvez en tout cas être assurés que mes romans seront toujours écrits avec sincérité et passion.

Merci à Ingrid, Hélène, Mélusine (ma p'tite femme, je t'aime fort), Angélique, Christelle, Benjamin, Karine, Bénédicte, Yannick, Emmanuelle, Marilyse, de faire partie de ma vie.

Merci à toi, Solène, de m'avoir laissée utiliser ton complexe des yeux marron.

Et enfin, comme toujours, merci à Benoît, l'homme de ma vie, de m'aimer, de me soutenir, de m'encourager et de me pousser pour aller chercher toujours plus haut.

Composition et mise en pages
Nord Compo à Villeneuve-d'Ascq

Imprimé en Espagne par:
CPI Black Print
en novembre 2021

POCKET – 92, Avenue de France – 75013 Paris

S29034/07